WILLIAM WALKER ATKINSON

SUGESTIÓN Y AUTOSUGESTIÓN

**La clave de la salud,
la felicidad y la prosperidad.**

TRADUCIDO POR

MAURICIO CHAVES MESÉN

BIBLIOTECA DEL ÉXITO # 118

TÍTULO ORIGINAL:

SUGGESTION AND AUTOSUGGESTION

VOLUMEN 118 DE LA BIBLIOTECA DEL ÉXITO

CONTENIDOS

Parte I.
Tipos de Sugestión

1. QUÉ ES SUGESTIÓN?

Si bien la mayoría de las personas pensantes saben lo que significa la palabra "sugestión" en su sentido psicológico moderno, muy pocos son capaces de dar una definición siquiera medianamente buena del término. Y esta dificultad no se limita al público en general, ya que incluso los escritores sobre el tema de la Sugestión parecen experimentar el mismo problema al definir el término, y muchos aparentemente han renunciado a la tarea con desesperación; porque se han sumergido en el meollo del tema, dejando que sea el lector quien aprenda qué *es la* Sugestión por lo que esta *hace*.

Pero, a pesar de esta dificultad, creemos que es bueno comenzar nuestra consideración del tema al menos intentando definir el término y dando una explicación preliminar de su significado científico.

La palabra "sugestión" se deriva de la palabra latina "*suggestus*", que tiene como base la palabra "*suggero*", que significa: "Llevar debajo".

Se usaba originalmente en el sentido de "colocar debajo", o de una hábil insinuación de un pensamiento, idea o impresión, bajo el cuidado observador y vigilante de la atención, y en la "conciencia interior" del individuo.

La palabra, como se usa generalmente, indica el uso de una pista u otra forma indirecta de llamar la atención de otro sobre un asunto. Pero más allá de este uso, ha surgido un empleo secundario y más sutil de la palabra, es decir, en el sentido de una *insinuación* astuta y cautelosa de una idea, de tal manera que el oyente no pueda entender que está recibiendo una pista, y más bien esté dispuesto a pensar que la idea *surgió en su propia mente, a partir del funcionamiento de su propia mente.*

La palabra "insinuación" da una idea más cercana de esta forma de sugestión. La palabra "insinuar" significa:

"Introducir algo con suavidad, o poco a poco; inculcar ingeniosamente; insinuar con cautela o indirectamente; intimar" — siendo la idea principal el "deslizar" —. Y, de hecho, muchas sugestiones (en el sentido científico del término) se *insinúan* de tal manera en la mente.

Pero entre los psicólogos; la palabra comenzó a adquirir un nuevo significado, es decir, el de la introducción de cualquier cosa en la mente del otro, de manera indirecta y no argumentativa.

Uno de los diccionarios define este sentido del término de la siguiente manera: "*Introducir indirectamente en la mente o los pensamientos*".

Y, más tarde, los psicólogos comenzaron a usar el término en un sentido aún más amplio, es decir, el de la *impresión* en la mente por la agencia de otros objetos, como gestos, signos, palabras, el habla, las sensaciones físicas, el entorno, etc. Y este uso se extendió más tarde, para cumplir con los requisitos de los adeptos a la telepatía, quienes lo emplearon en el sentido de la "insinuación de ideas por medios telepáticos", utilizándose generalmente el término "sugestión mental" para distinguir esta forma particular de sugestión.

El interés comparativamente reciente y los descubrimientos con respecto a la gran área de la mente subconsciente causaron un nuevo interés en el uso de la sugestión, ya que la mayoría de los escritores sostenían que esta región subconsciente de la mente era particularmente susceptible a la sugestión, y que era a esta parte de la mente al que todas las sugestiones realmente se apuntaban y dirigían.

Se sostuvo que la "insinuación" era la introducción ingeniosa del pensamiento en esta región de la mente. Se formularon muchas teorías para dar cuenta de los fenómenos del subconsciente en su fase de la mente sugestiva, y la discusión aún continúa.

Pero, sin importar qué teoría triunfe al final, ***el hecho de la existencia de la región mental subconsciente se ha establecido firmemente.***

Mientras los teóricos discuten sobre nombres y generalidades, un gran ejército de investigadores está descubriendo nuevos principios de aplicación y nuevos fenómenos relacionados con esta maravillosa parte de la mente. Mientras los teóricos discuten el "Por qué", los investigadores están descubriendo mucho sobre el "Cómo". El tema ha llegado a la etapa en que puede ser separado del misticismo o de lo "sobrenatural" y ser estudiado desde una posición puramente científica.

El Subconsciente sin la Sugestión, sería como *"Hamlet"* sin el Príncipe. Los dos temas están estrechamente relacionados, y es difícil considerar uno excepto en relación con el otro.

Para entender el uso psicológico moderno de la palabra "sugestión", que es el uso que haremos del término en este libro, debe hacerse una amplia distinción entre las ideas aceptadas por la mente con el uso de la lógica, el razonamiento, la demostración, la prueba, etc., por un lado; y las impresiones hechas, o las ideas inducidas en la mente por otros métodos.

Las palabras "Impresionar" e "Inducir" darán la mejor idea del efecto de la sugestión.

Cuando una idea se coloca en la mente de una persona por sugestión, siempre se coloca allí por uno de los siguientes tres métodos generales:

I. Sugestión por medio del *impresionar* el hecho sobre la mente mediante afirmaciones autoritativas firmes, repetición, etc., en las cuales la sugestión actúa como un molde sobre la cera fundida; o

II. Sugestión por medio del *inducir* la idea en la mente, por insinuación indirecta, pista, mención casual, etc., mediante la cual la mente es tomada desprevenida y se escapa a la resistencia instintiva de la voluntad; o

III. Sugestión, generalmente a lo largo de las líneas de asociación, en las que las apariencias externas, los objetos, el entorno, etc., actúan *tanto* para *impresionar como para inducir* la idea en la mente.

Por supuesto, hay casos en los que varios de estos tres métodos están asociados o combinados, pero un análisis cuidadoso mostrará que uno o más de los tres son siempre evidentes en todos los casos de Sugestión.

Para algunos, las declaraciones anteriores pueden parecer extrañas, ya que para muchos los *argumentos* de una persona se consideran las formas más fuertes de sugestión, impresión e inducción. Pero un pequeño análisis mostrará que hay mucho más en la sugestión que el simple *argumentar*.

En primer lugar, el mero argumento por el argumento no constituye una sugestión fuerte. Las gentes pueden discutir durante horas, sin ningún objetivo especial a la vista, y después de un gran torrente de palabras, todas las partes seguirán su camino, sin estar convencidos, ni impresionados y sin que se les hayan "inducido" nuevas convicciones o ideas", (a menos que bajo la última clasificación pueda incluirse la frecuente "impresión" o convicción de que la otra parte en el argumento es, o bien densamente ignorante, un tonto, un intolerante o, inclusive, ¡un absoluto aburrido!)

El duodécimo miembro del jurado, que se quejaba de los "once miembros tercos" del jurado, no estaba especialmente dispuesto a la sugestión mediante argumento; aunque indudablemente el mismo hombre podría haber sido convencido mediante el empleo de una forma más sutil de influencia.

Es cierto que a menudo es necesaria la argumentación para eliminar ciertas objeciones a ciertas ideas, pero después de eso, el trabajo real de Sugestión es realizado por la persona que desea hacer una impresión.

Como regla general, la sugestión no se opera oponiendo voluntad contra voluntad; argumento contra argumento o lógica contra lógica. Por el contrario, generalmente funciona insinuándose debajo, sobre o alrededor del argumento, la voluntad o la lógica; o bien, mediante una declaración con autoridad, repetida tan a menudo como sea posible, sin pruebas, y evitando argumentos.

E incluso cuando se emplean pruebas o argumentos, se verá que la Sugestión está en la forma de la declaración principal, y que el argumento y la prueba son simplemente el "escenario" para el resto de la "actuación".

En la forma de Sugestión que emplea el método de la Impresión, la acción es generalmente directa y abierta. Los "individuos fuertes" frecuentemente emplean este método de manera efectiva, ejecutándolo por pura fuerza de personalidad y autoridad –real o imaginada–.

Cuando se emplea la inducción, el método se parece al del diplomático, y el tacto, la *delicadeza* y la insinuación sutil son las formas de la operación. En esta forma de Sugestión, que es mucho más común de lo que generalmente se imagina, los diplomáticos, las mujeres y otros que tienen percepciones finas y una instintiva delicadeza para el "toque mental", sobresalen.

Levantar una ceja; encogerse de hombros; un acento cuidadosamente sombreado: todas estas son fases de esta forma de Sugestión, como también lo son muchos pequeños trucos de modales, gestos, etc.

4

Tan común es el uso de la Sugestión en estos tiempos, que conocer del tema es casi absolutamente necesario para todos.

Otra forma de Sugestión que ha incrementado su importancia en los últimos años, es la de "Sugestión Terapéutica", término que implica el empleo de Sugestión Directa con el propósito de hacer que la mente ejerza su poder inherente para regular las funciones del cuerpo, por medios del sistema nervioso involuntario, etc.

La Sugestión Terapéutica ha alcanzado un lugar importante en el método de lucha contra las enfermedades y la mala salud, y ahora se enseña en todas las principales facultades de medicina, aunque hasta hace poco se le consideraba con desaprobación. También cubre y explica muchas de las diversas formas de "curación" por varios métodos mentales y los así llamados métodos "espirituales", que, bajo diversas formas y nombres, han crecido tan rápidamente en el favor popular durante la última década.

Una parte de este libro se dedicará a esta rama del tema.

Otra rama importante del tema general de la Sugestión se encuentra en lo que se conoce como "Autosugestión", que es la Proposición Propia, o Sugestión dada por uno a sí mismo, de acuerdo con ciertos métodos y principios, cuyo método también encuentra gran favor en la actualidad, bajo un nombre u otro, y bajo una teoría u otra.

La autosugestión puede ser, y es, ventajosamente empleada a lo largo de líneas terapéuticas, y muchos casos de "curación" por muchos supuestos métodos, son realmente el resultado de la autosugestión del paciente, provocada de varias maneras.

La Autosugestión también se emplea de manera muy ventajosa en la formación de carácter y en el desarrollo personal; y es la base activa de todas las diversas formas de superación personal a lo largo de líneas mentales.

Todas las formas anteriores de Sugestión se tratarán en los capítulos dedicados a ellas en este libro, con más explicaciones y detalles. El propósito de este capítulo introductorio es simplemente dar una idea general de lo que *es la* Sugestión y sus diversas formas.

2. SUGESTIÓN POR AUTORIDAD.

En el capítulo anterior, llamamos tu atención sobre el hecho de que las personas aceptan las Sugestiones cuando se dan mediante uno o más de los tres métodos generales.

Recordarás que estos tres métodos son:

(1) Sugestión por impresión, como por ejemplo, declaraciones autorizadas, etc.;

(2) Sugestión al inducir la idea en la mente, por insinuación, pistas o señales, y otros medios indirectos; y

(3) Sugestión por medio de asociación de objetos externos, etc., que actúan tanto mediante la impresión como la inducción de la idea en la mente receptiva de la persona así sugerida.

Pero estas tres clases de sugestiones pueden considerarse como causadas por la sugestión que se provoca en el individuo a lo largo de varias líneas o canales diferentes.

Para mayor comodidad, podemos dividir estos canales de sugestión en cinco clases, a saber:

I. La Sugestión por Autoridad;

II. La Sugestión por Asociación;

III. La Sugestión por Hábito;

IV. La Sugestión por Repetición;

V. La Sugestión por Imitación.

Con el fin de poder distinguir la diferencia entre estas diferentes fases de la Sugestión, describiremos los detalles observables en cada una, breve y concisamente, para que podamos abordar el tema general del libro.

I. La Sugestión por Autoridad.

Esta forma de sugestión se manifiesta a lo largo de ambas líneas de impresión e inducción, respectivamente. Es decir, la Sugestión por Autoridad se manifiesta tanto en las afirmaciones autoritativas positivas dirigidas al punto; y también mediante afirmaciones o declaraciones habladas o escritas hechas por aquellos que hablan o escriben con un aire de autoridad.

Es peculiar de la mente humana el hecho de que ésta se inclina a escuchar con respeto y credibilidad las palabras —escritas o habladas—, de personas que asumen un aire de autoridad y conocimiento.

La misma persona que sopesará cuidadosamente cada proposición de aquellos a quienes considera sus iguales o inferiores, aceptará las declaraciones de aquellos a quienes considera poseedores de una autoridad o conocimiento superior al suyo, sin más que un cuestionamiento casual, y algunas veces sin cuestionamiento ni duda.

Deja que una persona que pasa por ser una autoridad u ocupa un puesto de mando, declare tranquilamente una falacia con aire de sabiduría y convicción, sin ningún "sí esto o lo otro" ni ningún "pero", y muchas personas, que en otras circunstancias son cuidadosas, aceptarán la sugestión sin cuestionarla; y, a menos que luego se vean obligados a analizarla a la luz de la razón, dejarán que esta semilla de una idea se aloje en sus mentes, florezca y de fruto.

La explicación es que, en tales casos, la persona suspende la atención crítica que generalmente es interpuesta por la voluntad atenta, y permite que la idea ingrese a su castillo mental sin desafiarla, para luego "morar" en ese hogar, e influir en otras ideas en el futuro. Es como si alguien asumiese un aire majestuoso y pasase al lado del vigilante en la puerta de la fortaleza mental sin ser desafiado, a pesar de que el visitante ordinario es desafiado, sus credenciales examinadas severamente; y la marca de aprobación estampada sobre él antes de que pueda entrar.

La aceptación de tales sugestiones puede asimilarse a una persona que se traga un poco de comida, en lugar de masticarla. Como regla general, nos tragamos muchas de esas partículas de "alimento mental" debido a que vienen con un sello de autoridad real o pretendida. Y muchos que comprenden esta fase de la sugestión, se aprovechan de ella y la utilizan en sus negocios.

Una persona con confianza en sí misma, así como el político astuto y el vendedor de minas de oro, se imponen al público por medio de un aire de autoridad, o por lo que en el lenguaje coloquial se conoce como "poner una buena fachada." Algunas personas son "sólo fachada" y no tienen nada detrás de su aire autoritario, pero ese aire autoritario les hace ganar dinero.

Es como Bulwer-Lytton, autor de Zanoni, que hace que uno de sus personajes diga: "Siempre que estés a punto de decir algo asombrosamente falso, comienza con la frase 'Es un hecho reconocido' ', etc.'

Muchos comentarios falsos han sido aceptados cuando han sido precedidos por un "Afirmo, sin temor a equivocarme"; o, "Las autoridades más respetadas generalmente reconocen que... "; o "Las mejores fuentes de información están de acuerdo en... ", etc.

A menudo existe esta variación: "Como usted probablemente sabrá, señor...", etc. Pero en muchos casos ni siquiera hay este prefacio: la declaración se hace con la forma de: "Así dice El Señor" o "las Escrituras", y se acepta por el tono y la manera que lo acompañan.

Como regla general, estas sugestiones autorizadas no van acompañadas de argumentos o pruebas lógicas, sino que se presentan como verdades evidentes. O, si hay discusión, generalmente son solo algunas comparaciones engañosas de fragmentos de sofisma, ofrecidos para calmar la conciencia mental de la persona.

Muchas sugestiones autorizadas se cristalizan en frases axionómicas epigramáticas, que se aceptan como verdaderas debido a su "aptitud" y aparente inteligencia, sin análisis por parte de aquellos a quienes se ofrecen. Los eslóganes políticos pertenecen a esta clase. Muchas frases son aceptadas por el público porque "suenan bien", sin tener en cuenta la verdad declarada en ellas.

No sería tan malo si fuese simplemente la aceptación de la Sugestión por Autoridad en sí misma. Pero ese es solo el comienzo del problema, ya que la idea sugerida, una vez que es admitida sin dudas en la mente, comienza a morar allí y da su tinte a todo pensamiento posterior del individuo.

Muchos hemos experimentado períodos en nuestra vida, cuando, ante alguna nueva idea a la que nos sentimos atraídos, consideramos necesario evaluar mentalmente nuestras otras ideas sobre el tema.

En tales casos, la mayoría nos hemos encontrado con que nuestras mentes estaban llenas con todo tipo de basura mental –sin ninguna base en la verdad real–, adquirida en el pasado simplemente por la aceptación de "sugestiones de autoridad". Somos como el hombre de quien Josh Billings dijo una vez: "Él sabe más cosas que no son verdad, que cualquier otra persona viva".

Te aconsejamos que en el futuro seas un poco menos hospitalario con estas "declaraciones" de autoridad. Sé un poco más tu propia autoridad. Si te resulta más fácil aceptar una declaración fuerte de este tipo, en su momento hazlo con la reserva mental de "aceptado, pero sujeto a examen futuro, reservándome el derecho de rechazarlo". Y, por encima de todo lo demás a, asegúrate de la "Autoridad" de quien hace las declaraciones: ¡examina sus credenciales!

II. La Sugestión por Asociación.

Esta forma de Sugestión es una de las fases más comunes. Se encuentra en todos lados, y en todo momento. La ley mental de asociación hace que sea muy fácil para nosotros asociar ciertas cosas con ciertas otras cosas, y así vemos que cuando una de las cosas se recuerda, traerá consigo sus impresiones asociadas.

Por ejemplo, para muchas personas, el olor de ciertas flores trae a la memoria sentimientos asociados a funerales, cementerios y la muerte. Esto se debe a que en algún momento la persona percibió un olor idéntico asociado con un funeral.

Un leve olor a la planta de reseda hará que la mente regrese en el tiempo a algún tierno episodio de los primeros días, y antes de que nos demos cuenta nos estamos entregando a recuerdos y pensamientos sentimentales de "podría haber sido" y todo lo demás.

El sonido de una vieja melodía traerá de vuelta sentimientos, tristes o alegres, de hace mucho tiempo.

Sabemos de un caso en el que el individuo tiene una serie de melodías que se remontan a muchos años, cada una de las cuales está relacionada con algún período particular de su vida. Cuando desea revivir el pasado, comienza a tararearlas y, por lo tanto, viaja desde la juventud hasta la mediana edad, o al revés, gracias al sonido de estas diversas melodías.

Pero hay muchas otras formas de sugestión por asociación. Estamos dispuestos a asociar a un hombre bien vestido, de porte autoritario, que viaja en un automóvil costoso, a un hombre de riqueza e influencia. Y, en consecuencia, cuando algún aventurero del tipo de "J. Rufus Wallingford[1]" nos aparece vestido con ropa suntuosa, con un aire de

---

[1] Las nuevas aventuras de J. Rufus Wallingford es una serie de películas mudas estadounidenses de 1915, protagonizadas por Oliver Hardy. N. de T.

superioridad frente a los demás, y conduciendo un automóvil de miles de dólares (alquilado), nos apresuramos a darle nuestro dinero y nuestros objetos de valor en "custodia", y nos consideramos honrados de que nos haya otorgado *el privilegio*.

El actor, orador, predicador y político utilizan la Sugestión por Asociación sobre nosotros mediante el empleo de tonos vibrantes con sentimiento y emoción, que en nuestras mentes están asociados con sentimientos y emociones reales, ¡y henos aquí! llorando o riendo; sonriendo o frunciendo el ceño; llenos de aprobación o condena, según sea el caso.

El orador, como un titiritero, "maneja las cuerdas" asociativas de la sugestión, y nosotros bailamos en consecuencia.

Así, muchos de nuestros prejuicios, favorables o desfavorables, son el resultado de asociaciones de experiencias pasadas. Si hemos tenido una experiencia de negocios desagradable con un hombre que tenía una expresión o un color de cabello peculiar, nos resulta difícil superar en el futuro un prejuicio contra otros de apariencia personal similar.

A veces un nombre lleva asociaciones con él. Una vez conocimos a un hombre que se negaba absolutamente a tener relaciones comerciales con nadie llamado "M——", porque una vez había sido engañado en un acuerdo de bienes raíces por alguien de ese nombre.

Muchos nombres están asociados con personas que los han llevado en el pasado y, por ridículo que parezca, nos resulta difícil superar el prejuicio.

La mayoría de las personas tienen experiencias de este tipo.

¿Cuántos de nuestros lectores no sienten antipatía por alguna comida en particular, debido a alguna experiencia desagradable con ella en el pasado? Personalmente, cuando era un niño, mi padre deseaba romper con mi hábito de comer demasiados "bocadillos de crema". Una vez se ofreció a comprarme todos los que pudiera comer al mismo tiempo. Acepté la oferta y el resultado fue desastroso: durante años no pude ver un bocadillo de estos sin sentirme triste y reminiscente.

Y el recuerdo de lo que una vez encontré dentro de un pastel de carne en un hotel, me causó una sugestión asociada que mantuvo su control con el paso de los años.

¿Cuántas de nuestras ideas son el resultado de una sugestión asociada? Eso sólo lo podemos decir cuando empezamos a hacer un balance mental ocasional. Muchas de nuestras ideas, sentimientos, prejuicios, gustos y aversiones, son el resultado de esta forma de sugestión, más que de algo que realmente sea exclusivo del objeto de nuestros sentimientos. La moraleja es que debemos observar cuidadosamente la compañía que mantienen nuestras imágenes mentales y evitar los vínculos mentales desagradables.

3. Sugestión por Hábito y Repetición.

III. La sugestión por hábito.

Esta forma de sugestión está estrechamente relacionada con la fase anterior, es decir, la sugestión por asociación. De hecho, algunos la consideran simplemente como una rama de esta última. Sin embargo, sentimos que hay una diferencia marcada en el funcionamiento de las dos fases, y en consecuencia preferimos tratarla como una fase separada y distinta.

Por supuesto, todo hábito es una asociación con algo en el pasado, pero la Sugestión por Hábito puede surgir de una causa original de Sugestión por Autoridad; Sugestión por Asociación; Sugestión por Repetición; Sugestión por Imitación; o bien de una decisión original del intelecto resultante del razonamiento correcto.

La característica sugestiva de la Sugestión por Hábito no surge de la naturaleza de su causa original, sino del hecho de que la acción o el pensamiento anterior actúa como una sugestión para el acto o pensamiento del presente. El acto o pensamiento anterior actúa como una "influencia externa" sugestiva, aunque pertenece a la propia mente.

Nos resulta asombroso cuando ocasionalmente comprendemos el grado de *acción por hábito* y de *pensamiento por hábito* que se ha desarrollado en nosotros. Hacemos cosas simplemente porque las hemos hecho antes, a pesar del hecho de que las circunstancias del caso se han alterado materialmente; pensamos y mantenemos opiniones, simplemente porque lo hemos pensado en el pasado, aunque las circunstancias pueden haber cambiado materialmente. Nos metemos en un trote de hábitos, caemos en la rutina y perdemos la iniciativa.

La Sugestión por Hábito es muy fuerte en la mayoría de nosotros.

Hay una muy buena excusa para este desarrollo de la Sugestión por Hábito, ya que la mayoría de nuestras acciones y actividades diarias son posibles solo por haberlas aprendido de memoria. Para poder realizar nuestras tareas, primero debemos haberlas aprendido conscientemente. y con mucho uso de atención concentrada; y luego, una vez que las hemos aprendido, las hemos pasado a la "mente de hábito" de la subconsciencia, para que luego se realicen de forma automática y, por lo tanto, fácilmente.

La Nueva Psicología reconoce el importante papel que desempeña el hábito en las operaciones mentales y las actividades físicas, y por lo tanto exhorta a sus estudiantes a cultivar los hábitos que les serán beneficiosos e inhibir aquellos que puedan resultar perjudiciales.

Es con este mismo espíritu que ahora llamamos tu atención sobre el efecto de la Sugestión por Hábito. No te aconsejamos que elimines los hábitos, sino que selecciones buenos hábitos de pensamiento y acción, y luego confíes en ellos.

La mente del ser humano es plástica, particularmente en la juventud, el período en el cual se forman la mayoría de nuestros hábitos mentales y físicos.

Como bien dice Romanes:

" *Ningún cambio en la temprana infancia,*

Ninguna tormenta que azote, ningún pensamiento que surja,

Pasa sin dejar su rastro sobre la arcilla,

Que lentamente se endurece y forma al ser humano".

En nuestro libro sobre "La Nueva Psicología", hemos dado instrucciones mediante las cuales se pueden cultivar, restringir o inhibir los hábitos, que no repetiremos aquí.

Comprender el efecto de la Sugestión por Hábito llamará tu atención sobre la necesidad de tenerla en cuenta, tanto para restringirla como para mejorar.

Para comprender la fuerza del hábito, haz las siguientes pruebas simples:

Trata de ponerte primero "el otro zapato" por la mañana. Cada uno de nosotros tiene el hábito de ponerse primero un zapato en particular, en lugar del otro. Cambia al otro zapato, y lo encontrarás incómodo, y durante algún rato te quedará la sensación subconsciente de que algo está mal o se te ha olvidado.

O, trata de poner primero el "otro brazo" en la manga de tu chaqueta. Cada uno tiene una cierta forma de ponerse un abrigo, el mismo brazo primero cada vez; y si se hace un cambio, se manifiesta la mayor incomodidad.

Todos salimos de la cama por un lado en particular y nos vestimos de acuerdo con las reglas, de la misma manera.

Prueba el experimento de ponerte una media, y luego ponte el zapato del mismo pie en lugar de proceder a ponerte la segunda media, y verás qué tan "*confundido*" te sentirás.

Cuanto más envejecemos, somos más aptos para establecernos en nuestros hábitos de acción y pensamiento. Aceptamos la Sugestión por Hábito, en lugar de utilizar la iniciativa o el pensamiento original.

Cuántas personas son republicanos o demócratas, según sea el caso, simplemente porque empezaron así, sin tener en cuenta ningún problema nuevo o los asuntos locales. Es posible que decidan "hacer algo", pero cuando llega el día de las elecciones, se alinean como soldados bien entrenados.

Muchos de nosotros pertenecemos a ciertas iglesias por la misma razón: nos "hemos habituado a ello" y ninguna atracción nos puede llevar a nuevos pastos. Cruzamos las calles en ciertas esquinas camino a casa, solo porque empezamos de esa manera. Y mantenemos ciertas ideas fijas, no debido a ninguna verdad o mérito especial en ellas, sino simplemente porque una vez aceptamos alguna sugestión o declaración en ese sentido, y desde entonces la adoptamos como nuestra, y ahora "juramos por ella" como si lo hubiésemos pensado con cuidado e inteligentemente.

De hecho, las ideas por las que luchamos con más firmeza son muy propensas a ser aquellas que hemos hecho propias por la Sugestión por Hábito en lugar de las que hemos pensado cuidadosamente.

La intolerancia y el fanatismo, la "estrechez de miras" y la obstinación mental surgen en gran medida de esta Sugestión por Hábito. La Sugestión por Hábito no permite a la persona ver la "otra cara" de una cuestión. Su subconsciente tiene la idea fija firmemente impresa en él, por costumbre, y se requiere de una llave poderosa para desalojar y desechar ese registro.

La mayoría de nuestras ideas son el resultado de esta forma de Sugestión. Siendo así, es bueno hacer un balance mental de vez en cuando y aplicar la prueba del conocimiento y la razón a nuestras "convicciones internas", la mayoría de las cuales no pensaríamos aceptar hoy, si se nos presentaran como nuevas.

Las proposiciones deben ser examinadas y juzgadas *por la razón*.

IV. La sugestión por repetición

Esta forma de sugestión puede parecer muy similar a la fase anterior, es decir, a la Sugestión por Hábito. Pero hay una marcada distinción y diferencia. La Sugestión por Hábito recibe su poder por la repetición habitual del acto o pensamiento por parte del individuo; mientras que la Sugestión por Repetición gana su poder y fuerza por la repetición de una Sugestión de algún objeto o persona exterior.

Es un axioma de la sugestión que: "La sugestión gana fuerza por la repetición".

Una sugestión de un poder moderado de penetración o impresión, gana fuerza y potencia en cada repetición. Es la vieja historia de los golpes repetidos del martillo en el clavo; o el constante goteo de agua desgastando la piedra.

Una sugestión que dejas pasar sin mucha atención o consideración, cuando se hace la primera vez, ganará tu atención y consideración si se repite con suficiente frecuencia y de la manera correcta. La sugestión repetida tiende a romper los poderes instintivos de resistencia en una persona, a menos que esta se dé cuenta de que es una sugestión y, por lo tanto, interponga un obstáculo a la impresión.

Muchas cosas que aceptas como irrelevantes te han sido impresas por la fuerza de la repetición. Escuchas una cosa por todos lados, y aunque no tengas ningún conocimiento o prueba de ello, aun así te afecta, y gradualmente llegas a aceptarla al menos como hecho "presuntivo".

El repetir aquella frase "todos dicen que..." ha arruinado la reputación de muchas personas. Una declaración repetida o una afirmación de hecho a menudo obtiene credibilidad sin poseer ninguna base en la verdad. Muchas supersticiones totalmente tontas y "nociones" ridículas se han incorporado al "conocimiento" popular debido a la repetición.

Todo esto se entiende cuando uno comienza a comprender la naturaleza de la mente subconsciente y la región de la memoria. En estas regiones de la mente se conserva un registro mental o impresión de cada cosa que llama la atención de la persona. Y estos registros de impresión se fortalecen con cada repetición de esa cosa.

Comprender esta ley nos da la clave para el desarrollo de la memoria, y también para la comprensión de la Sugestión por Repetición. El proceso y la regla son los mismos en ambos casos.

Si deseas imprimir algo en los registros de tu memoria, sabes que la repetición es uno de los métodos más efectivos. Cada nueva impresión profundiza la impresión de registro original. Y en la Sugestión por Repetición, cada vez que se hace y se acepta la Sugestión, la impresión del registro se hace más profunda.

Has escuchado la vieja historia de la persona que contó un cuento tantas veces que él mismo terminó por creerlo, ¿cierto? Bueno, esta idea de la Sugestión por Repetición va en la misma línea. Escuchas algo tantas veces que llegas a creerlo: su repetición le da un aire y apariencia de validez, y te hace imaginar involuntariamente que siempre lo has creído.

¿Quién no ha conocido personas que combatieron vigorosamente ciertas ideas al principio, y que luego cedieron ante las insistentes sugestiones repetidas por otros con respecto al asunto, hasta que llegan a aceptarlas y finalmente a afirmar que "siempre lo había sostenido"?

Muchos astutos jueces de la naturaleza humana, en ventas y publicidad, entienden esta ley de la Sugestión por Repetición. Lograrán inducir ingeniosamente sugestiones repetidas, presentando las mismas afirmaciones en términos diferentes, o bien mediante una repetición plana de una afirmación con autoridad, hasta que te olvides de como comenzó el asunto, y la idea crezca hasta convertirse en una "historia antigua", y una que nunca pareces cuestionar.

Hemos oído hablar de un político de renombre nacional, que una vez dijo:

"¡Pruebas! ¡No *necesitamos* pruebas! ¡Dile al público algo de manera solemne y autoritaria, y *repítelo con la suficiente frecuencia*, y nunca necesitarás *probar* nada!"

La Repetición, junto con la "*Autoridad Pretendida*", son dos viejos fraudes que se hacen pasar por la Verdad.

Una vez que les tomas la medida, los desarmas, al menos en lo que a ti concierne. Cuando pides "Pruebas", se refugian en su "dignidad" y en la reiteración—esas son las únicas armas de su arsenal.

Pero la Sugestión por Repetición tiene su valor en impartir la Verdad. Es una regla pobre que no funciona en ambos sentidos.

4. SUGESTIÓN POR IMITACIÓN.

V. La Sugestión por Imitación.

Esta forma de sugestión, aunque es en sí misma una fase distinta de la sugestión, tiene una relación muy estrecha con las otras formas de sugestión. En la aceptación de la Sugestión por Autoridad se encuentra una imitación inconsciente de la actitud mental de la persona que asume la autoridad; en la Sugestión por Asociación hay una imitación de lo asociado; y en la Sugestión por Repetición se encuentran evidencias de imitación. Pero aun así, la Sugestión por Imitación es en sí misma una fase distinta de Sugestión.

El ser humano es un animal imitativo. Se puede encontrar en la raza humana un alto grado de la facultad de imitación que desempeña un papel tan importante en la vida de nuestros primos, los simios y los monos.

Muchas personas que lamentarían cualquier comparación de este tipo, sin embargo, muestran un deseo constante de imitar y seguir las acciones, pensamientos y apariencia de quienes los rodean. La individualidad es algo mucho más raro de lo que generalmente se imagina. De hecho, si una persona muestra una individualidad de gusto y acción, la mayoría lo considerarán "raro" y la gente lo evitará como alguien "fuera de lo común", a menos que sea lo suficientemente fuerte como para imponer sus ideas sobre la multitud, y por lo tanto establecer la moda.

Vivimos en una era de imitación, a pesar de nuestras afirmaciones de individualidad. Nuestra civilización exige que usemos el mismo corte de ropa; el mismo ancho de sombrero; el mismo tipo de corte de pelo y el mismo color de corbata, so pena de ser llamado "excéntrico".

Copiamos las actitudes, la apariencia, los tonos y las pequeñas peculiaridades personales de alguien prominente, al parecer imaginando que al hacerlo podemos absorber sus cualidades.

Tenemos los mismos pensamientos que los demás y compartimos sus ideas, de acuerdo con la misma ley de Sugestión por Imitación. Las ideas, así como la ropa, tienen su moda. Nuestras iglesias y nuestros lugares de diversión concuerdan con los ejemplos que han sido establecidos por otros que han adquirido notoriedad pública. Hay muy poco espacio para el individuo que prefiere sus propios caminos a los caminos de los líderes de la moda que dan el ejemplo público: se trata de "*alinearse o quedar fuera*".

Una actriz usa un vestido nuevo de corte, color o diseño llamativo, y el mundo de la mujer se alinea con ella. A veces está de moda ser "regordete"; a veces el estilo cambia a la *esbelta* voluntad del director. Los modistas y diseñadores de París acuñan deliberadamente nuevos estilos para que exista una demanda de nuevos artículos entre los que siguen la moda, y el resto de la gente se ve forzado a aceptar los estilos arbitrarios.

Un nuevo monarca provoca un cambio completo en los estilos aceptados para salir de paseo, transportarse o hasta en sus peculiaridades personales. Incluso en las repúblicas está pasando lo mismo, cada presidente provoca una manifestación de deseos de seguir el liderazgo, en forma de ejercicio, personalidad, etc. Una era de calmada dignidad es seguida por una era extenuante–a una época de tenis, le sigue una de golf, según los gustos de los respectivos líderes.

Se aceptan filosofías, teorías, escuelas de pensamiento y denominaciones religiosas porque están de moda.

El viejo truco del bromista ilustra la Sugestión por Imitación. El bromista se detiene en una calle atestada de gente, y mira fijamente a algo imaginario en el aire, o bien en el techo de un rascacielos. En unos momentos otros se detienen y miran hacia arriba; luego otros y así sucesivamente hasta que los policías vienen a dispersar a la multitud.

Seguimos el movimiento de un caminante sobre una cuerda, meciéndonos al unísono con él. Imitamos la expresión facial del actor en el escenario, frunciendo el ceño o sonriendo cuando él lo hace. Nos sorprendemos imitando el caminar o los movimientos físicos de las personas con quienes estamos, y hay pocas personas que son inmunes a la entonación o "*acento*" de aquellos con quienes se asocian. El nativo de Nueva Inglaterra comienza a usar los localismos y el acento del Oeste o del Sur si vive allí por un tiempo. El sureño pierde su acento suave cuando vive lejos de su hogar, y solo es consciente del cambio cuando regresa a casa para una visita, cuando sus padres se dan cuenta de cuanto se ha "yankificado"[2] y él, por su parte, nota el extremo acento sureño de sus amigos y familiares.

Conozco personalmente un joven médico, de ascendencia inglesa-escocesa (ni una gota de sangre alemana en sus venas) que pasó varios años en Alemania en universidades y hospitales. Cuando regresó a los Estados Unidos, era un alemán en su acento, hábitos, apariencia y gustos. Tan marcado fue el cambio, que finalmente se instaló en un barrio alemán de la ciudad donde vivía, y practicó medicina exclusivamente entre alemanes y personas de ascendencia alemana, prefiriendo su compañía y sus costumbres, y ajustándose estrechamente a sus requisitos y preferencias.

Mira a los hijos de padres extranjeros en este país; observa lo diferentes que son de sus padres en todos los aspectos. A veces, el cambio es para mejorar, y a veces, se trata de despojarse de buenas cualidades antiguas y de adquirir nuevas y objetables. El entorno juega un papel muy importante en nuestras vidas. Y el entorno es en gran parte efecto de la Sugestión por Imitación, esa tendencia de la humanidad de subir o bajar de nivel; de ponerse en línea; de estar "a la moda".

¿Alguna vez has notado lo contagiosos que son los estados mentales o las acciones, como se evidencia en la prensa diaria?

Una pareja se fuga para casarse, e inmediatamente hay muchas otras fugas del mismo tipo. Los crímenes se repiten de la misma manera, incluso en sus detalles. Los suicidios son sugeridos en muchos casos por la lectura de diarios. Este hecho es reconocido por los psicólogos, y se está haciendo un esfuerzo para prohibir en los periódicos que se reporten estas ocurrencias objetables. Las películas han estado bajo la supervisión de las autoridades, debido a este asunto de la Sugestión por Imitación. Los jóvenes que ven crímenes y otras inmoralidades expuestas en las fotos muestran una tendencia a imitarlos. El teatro tiene un marcado efecto sobre la moral de las personas, no en la forma

---

[2] "Yankeefied", que ha asumido las costumbres de los Yanquis, nombre que daban a los del Norte los del Sur de Estados Unidos.

de "instrucción" que muchos asumen, sino en la forma de Sugestión por Imitación. [3]

Esta forma de sugestión está atrayendo mucha atención por parte de los estudiantes de sociología y de cívica, y está destinado a tomar relevancia durante los próximos diez años. El público tiene la tendencia a seguir las sugestiones de las cosas que les son presentadas.

El remedio es sugerido en el mal mismo. Si se imitan cosas indeseables, entonces hay que contrarrestar el mal prohibiendo lo mismo en la medida de lo posible, y hay que neutralizarlo presentando a la atención las cosas deseables de una manera atractiva.

La fase de Sugestión por Imitación, relacionada con la salud de las personas, también está recibiendo una atención especial por parte de las autoridades y de la opinión pública en los últimos tiempos. Se reconoce que la impresión de los anuncios y la "literatura" de ciertos medicamentos patentados y otros remedios, se redacta de forma calculada para tener un impacto sobre la salud del público.

Estos anuncios con su recital de "síntomas", incluidos todos los posibles "sentimientos" físicos y mentales conocidos, sensación, dolor o molestia, indudablemente impresionan a muchas personas con miedo y les hacen tener dolencias imaginarias. Esto sería lo suficientemente malo en sí mismo, pero se vuelve doblemente malo por el hecho de que estas dolencias imaginarias tienen una tendencia a materializarse en problemas físicos reales, por el efecto de la Sugestión Terapéutica. El pensamiento tiende a tomar forma en la acción; y las imágenes mentales tienden a volverse reales en el ámbito físico. El miedo en sí mismo es un poderoso depresor, obligado a reaccionar sobre las funciones físicas y a perjudicar el bienestar físico de la persona que lo manifiesta.

Una comunidad puede disfrutar de un buen historial de salud; pero si la inundan con publicidad objetable e impresos que contienen un recital de "síntomas", ilustrados con imágenes de órganos enfermos, en

_____

[3] Nos sorprendemos del aumento de la violencia, pero no podemos ver una película sin que haya una docena de asesinatos; y nuestros jóvenes reclaman al salir de cierta película de zombies o vampiros, ¡que les "faltó" violencia! N. de T.

poco tiempo habrá más casos de enfermedades en el lugar que nunca antes en su historia. [4]

Estos son hechos científicos probados, conocidos por todos los estudiantes de la asignatura.

La moral es obvia.

los casos de Sugestión por Imitación son mucho más comunes y mucho más numerosos que los de cualquiera de las otras formas de Sugestión. Esto se debe a que las causas que operan en este sentido son mucho más comunes y numerosas. Siempre hay presente una gran cantidad de "materia prima" para Sugestiones de este tipo.

La tendencia humana a "alinearse", a "seguir al líder", a actuar como ovejas o gansos humanos, facilita la costumbre de aceptar estas sugestiones. Habrás oído hablar de la costumbre de las ovejas de seguir las acciones del líder. Se dice que si el líder salta sobre una barandilla de una cerca, el resto del rebaño lo seguirá; y si se retira el riel de la cerca, el resto de la bandada continuará saltando sobre el lugar donde había estado el riel, aunque ya no esté.

En esta fase de la Sugestión, así como en las otras mencionadas anteriormente, existe, por supuesto, el reverso de la cuestión que debe considerarse.

Hemos mostrado con qué facilidad las personas se ven afectadas en su detrimento, y en beneficio de quienes los influyen. Pero es igualmente cierto, y mucho más digno de la raza humana, que las personas también pueden ser influenciadas para bien.

La Sugestión por Autoridad tiene su lado ventajoso, porque de esta manera una persona o cuerpo de personas dignas y fuertes puede imponer el conocimiento del bien a aquellos que no están tan

_____

[4] Y por ello, los anuncios de mil y una pastillas o jarabes en el siglo veintiuno, vienen acompañados durante treinta segundos de todos los posibles síntomas de esa enfermedad; y de los efectos secundarios de la medicina, con el propósito explícito de provocar en las personas de mente débil las enfermedades descritas, y así, ganar dinero. Ahora que lo sabes, pon el televisor en silencio cada vez que veas el anuncio de alguna medicina. Quieren enfermarte, no curarte. Las personas sanas NO SON NEGOCIO. N. de T.

informados: la multitud lo aceptará por razones de autoridad, antes de que sus razones puedan captar el "Por qué" de eso.

De la misma manera, la Sugestión por Asociación puede funcionar para el bien, siempre que las asociaciones sean deseables. Y la Sugestión por Hábito y la Sugestión por Repetición pueden convertirse en grandes fuentes de acción correcta, siempre y cuando la causa de la acción sea buena

Y así, la Sugestión por Imitación se convierte en una fuerza poderosa para la justicia en las manos de las personas correctas, y cuando se lleva a cabo en la dirección correcta.

Aquellos que dan buenos ejemplos o imponen modas influyen en las personas, al igual que los que se encuentran en el polo opuesto del precepto.

La buena salud es tan contagiosa como la enfermedad. Cuando la Sugestión por Imitación es bien entendida por el público en general, se demandará la supresión de aquellas cosas que dan sugestiones dañinas, y el estímulo y promoción de aquellas que dan buenos ejemplos, y proporcionan el tipo correcto de sugestiones.

El remedio es simple; ahora corresponde a la gente el usarlo.

5. INSTANCIAS DE SUGESTIÓN.

Al mirar a nuestro alrededor con el propósito de recopilar ejemplos de formas típicas de Sugestiones, nos avergüenza la gran cantidad de material. En lugar de tener que buscar tales casos, más bien nos resulta difícil escapar de los numerosos casos de uso de la Sugestión que insistentemente nos empujan desde todas las direcciones.

La sugestión es un principio motivador tan activo de la conducta humana que nos encontramos incapaces de escapar de las evidencias de su funcionamiento, una vez que hemos dirigido nuestra atención al tema. Tomamos el periódico de la mañana, y allí vemos cientos de casos que trabajarán sus influencias sugerentes, para bien o para mal, en las mentes de quienes las leen.

Aquí se relata el ejemplo de un hombre o una mujer que ha dado su vida por la humanidad y alguien aceptará la sugestión, y su vida se verá influenciada por su ejemplo.

Allá se relatan los logros de los ladrones o de los astutos estafadores de las "Finanzas Alocadas", cuyo ejemplo será tomado en cuenta por algunos de sus lectores.

Aquí se relata de un crimen, un suicidio o un escándalo, que plantará su semilla sugerente en algún terreno fértil, y se transformará en acción.

Allá hay noticias inspiradoras, que nos envían una emoción sugestiva y nos alientan a dar un mayor y mejor esfuerzo en el trabajo del día.

Aquí hay una noticia deprimente, calculada para encubar pensamientos y filosofías pesimistas en alguna mente lista para la sugestión.

Allá está el discurso de algún *trabajador del mundo,* en la que hay gran cantidad de sugestiones inspiradoras y estimulantes. Y junto a ella ¡está todo lo contrario!

Y así, cada semilla de sugestión es extremadamente probable que encuentre alojamiento en la mente receptiva de las personas cuya mente está en armonía con la idea respectiva.

Y volviendo a las páginas publicitarias; encontramos lo mismo repetido. Las virtudes de ciertas marcas de alimentos para bebés o analgésicos se fijan en nuestras mentes mediante avisos sugerentes basados en los principios de Sugestión por Autoridad o Repetición, respectivamente.

Se nos dice que comamos las galletas Uneeda, "*las más deliciosas*"; o que "*El Jabón de Marfil flota*", o que "*el Arroz inflado es disparado por armas*", o que "*Los bebés lloran pidiendo Castoria*", o que "*El Whisky XX es suave*"; o que "*Los cigarros YY son fragantes*" o que "*Las píldoras púrpuras de Pilkin curarán la sensación de cansancio*", y así sucesivamente.

Al salir de casa y entrar al tranvía, el trenes elevado o el expreso suburbano, según sea el caso, nos encontramos frente a rótulos alarmantes que exaltan las mercancías de diversos fabricantes, cada uno con una frase astutamente redactada, que nos dice *que hagamos algo* o que *determinada cosa es cierta* En ambos casos, la declaración está relacionada con cierta mercancía.

Contemplamos imágenes de hombres hábilmente dibujados con abrigos muy bien ajustados o sombreros limpios, e involuntariamente contrastamos nuestras ropas y sombreros viejos con la elegancia representada, y por lo tanto ponemos en funcionamiento un tren de pensamiento que tarde o temprano nos lleva a invertir y comprar algunos de los artículos en cuestión.

Esta publicidad busca primero despertar el deseo dentro de nosotros, y luego *llevarlo a casa* y transformar el pensamiento en acción, por medio de la Sugestión por Repetición.

Al dejar el tranvía nos encontramos con escaparates y vitrinas llenas de una sugerente exhibición de cosas atractivas, calculadas para despertar el deseo de posesión en nuestras mentes.

El arte de mostrar en vitrinas o escaparates pretende primero atraer la atención por el aspecto artístico de la muestra; y luego, despertarnos el deseo por la calidad y apariencia de los productos, con un sutil llamado a nuestro instinto negociante al mostrarnos los "*precios especialmente rebajados por la Venta en celebración del Cumpleaños de Washington*".

De principio a fin este esfuerzo pretende llamar la atención y crear deseo.

Encontramos una multitud de mujeres agrupadas alrededor de los escaparates de la tienda, mirando con nostalgia alguna exhibición atractiva de ropa o sombreros, o las mil y una cosas más que el corazón femenino desea. ¿Acaso no comprendes que en esa multitud habrá algunas cuyo "deseo" se despertará tan vigorosamente, que la sugerente semilla de una idea seguramente crecerá y se convertirá en un activo *"debo tenerlo, debo comprarlo"* en un día o algo así?

Hay escuelas de publicidad, que instruyen cuidadosamente a sus alumnos sobre las leyes de la psicología en este asunto de atraer la atención y despertar el deseo.

No supongas ni por un momento, que esta inteligente publicidad llama tu atención y despierta tu deseo simplemente "porque sí".

¡No! Estos hábiles publicistas, a quienes se les pagan altos salarios, han sido cuidadosamente entrenados en las leyes de la sugestión, y ponen en práctica sus conocimientos todos los días de la semana, con algo "extra" los domingos.

Hay un hombre empleado por una gran agencia de publicidad en Nueva York y Chicago (pasa parte de su tiempo cada semana en cada ciudad, viaja en trenes rápidos por la noche para no perder tiempo) a quien se le paga un salario igual al del Presidente de los Estados Unidos. Y su obra, y el valor de la misma, consiste en el empleo más inteligente posible de palabras sugestivas, exhibición y presentación de los anuncios de los diversos clientes de su agencia.

¿Creías que habías comprado cierto artículo porque estabas convencido, después de un examen cuidadoso, de que era justo lo que necesitabas? ¡Tonterías! Lo compraste porque el anunciante había ejercido su sugerente arte sobre ti, primero, atrayendo tu atención por una impresionante muestra de anuncios, y luego por las insistentes y reiteradas declaraciones epigramáticas que te decían que *tú, sí, tú,* necesitas ese artículo en particular. ¡Así es!

Fuiste llevado por sugestión a esa compra a través de una serie de imágenes sugerentes y de frases inteligentes. Por supuesto, el artículo es bueno y obtuviste un buen valor por tu dinero... ¡pero eso no altera el principio!

Luego entras en una tienda, o un vendedor visita tu oficina. Algunos de estos vendedores, o vendedoras, te resultan repulsivos y no deseas tratar con ellos. Otros tienen un aire de "ganadores", y en poco tiempo estás haciéndoles pedidos.

¿Supusiste que era solo porque estos vendedores eran agradables, inteligentes y corteses? Querido amigo, estás muy por detrás de los tiempos. Por supuesto, unos modales agradables, inteligencia y el deseo de agradar tienen gran valor en las ventas, y siempre cosecharán su recompensa en pedidos y clientes satisfechos, pero incluso esto no siempre es el resultado de una inclinación natural, e incluso si es así, existe más en el fondo del asunto.

Hay numerosas escuelas de ventas que surgen en todo el país e instruyen a los estudiantes en...¿Qué supones que es? ¡En la psicología del arte de vender! !Les enseñan las leyes psicológicas detrás de cada venta, y la naturaleza y el valor de la Sugestión en la venta de bienes!

Y no solo esto, sino que muchas de las grandes corporaciones que emplean vendedores tienen cursos privados en ventas, en los cuales estos son cuidadosamente entrenados y capacitados sobre cómo acercarse a las personas adecuadamente; cómo presentar su propuesta; cómo enfrentar las objeciones; y *Cómo usar la sugestión*.

El empresario moderno ha recibido su educación en psicología y la está aplicando en su negocio diario. No nos oponemos a esto; personalmente, preferimos tratar con un vendedor capacitado que con un recluta crudo, torpe y sin entrenamiento. Simplemente llamamos tu atención sobre el importante papel que desempeña la Sugestión en la vida empresarial cotidiana.

El negocio del día te lleva a una sala del tribunal, y ¡ay! encuentras Sugestión allí. Ves a un testigo en el estrado, en manos de un abogado inteligente que le está sacando la información deseada mediante una inteligente línea de preguntas sugerentes.

Las muy criticadas "preguntas inductivas" o capciosas de los abogados, que están sujetas a la objeción del lado opuesto, son solo formas de sugestión.

El abogado actualizado no necesita usar "preguntas inductivas"; en vez de eso, inicia sutilmente ciertas líneas de pensamientos en la mente del testigo, acentuando ciertas palabras, etc., y así logra el mismo fin. Escuchar un interrogatorio inteligente por parte de un experto es igual a un curso preliminar en Sugestión.

Y luego, encontrarás el uso de la Sugestión en el discurso del abogado al jurado. Se provoca una asociación sentimental por una referencia a algo que probablemente haya sido experimentado por algunos de los jurados; se apela a los prejuicios por sugestión e insinuación; se crea la duda sobre las declaraciones de testigos opuestos mediante un tono y una expresión sutiles, donde las palabras directas hubiesen despertado sospechas. Y así hasta el final.

Incluso el mismo juez utiliza la sugestión inconsciente, aunque muchos jueces lo nieguen con indignación. Si el juez se inclina hacia un cierto lado de un caso, debido a sus propios prejuicios o convicciones, a menudo impartirá inconscientemente esa inclinación por sugestión al informar al jurado de los cargos. Esto lo saben todos los jurados y te dirán que de alguna manera fueron impresionados con las verdaderas creencias del juez, incluso aunque los cargos fuesen informados de la manera más imparcial y con palabras cuidadosamente seleccionadas.

La Sugestión se manifestó en el *énfasis* inconsciente colocado sobre ciertos hechos o palabras.

Y, si el caso va en apelación a un tribunal superior, este acento o énfasis sugestivo faltará en las palabras impresas, aunque hayan dado vuelta a la escala en el jurado.

Después del trabajo, mientras regresas a casa, te enfrentas a un gran letrero eléctrico parpadeante, que te dice: "¡Llévate a casa una caja de chocolates Riler para tu esposa!" Y, por supuesto, ¡te los llevas!

Durante el café, durante la cena, tu esposa te informa inocentemente que tu mejor amigo le ha regalado a su esposa un nuevo abrigo de piel que está muy de moda; y ella se pregunta si tu amigo "no es un hombre de negocios excepcionalmente capaz", pues puede ser tan desprendido y dadivoso; además de ser tan amable y considerado con su esposa y su familia.

Así es como la semilla del "abrigo de piel" queda plantada de manera sugerente en un suelo rico y fértil. Y no temas por la semilla: estará bien regada con lágrimas y con miradas tímidas y amorosas, hasta que "crece" y se hace realidad un poco más tarde.

Y esa noche, mientras duermes, soñarás con algo relacionado con los negocios que sugerirá algo más que afectará tus acciones del día siguiente en tu negocio.

No puedes escapar de la Sugestión, ni aún en tus sueños.

6. SUGESTIÓN EN LOS NEGOCIOS.

En el capítulo anterior, llamamos tu atención sobre el hecho de que la Sugestión se reconoce ahora en los asuntos de la vida de negocios de todos los días, y que se da instrucción sobre esto a quienes aspiran a llamar la atención del público.

La psicología empresarial ha llegado para quedarse y ha revolucionado muchas ramas de la vida comercial. Los llamados a la mente del público ya no se hacen de manera fortuita, por "prueba y error", sino basados en métodos bien establecidos para atraer y mantener la atención del público, a fin de despertar el deseo y crear la demanda por los productos de los vendedores.

Lo anterior es especialmente cierto en lo que respecta a las ventas y a la publicidad. Es un hecho que generalmente no se reconoce, que la publicidad es simplemente una forma de venta: la venta a largo plazo. Y, en consecuencia, la "charla de venta" del vendedor y la "charla de venta" del anuncio deben basarse en los mismos principios.

Este hecho es reconocido por todos los anunciantes y vendedores, y constantemente se mejoran las Sugestiones de Venta.

En la capacitación de vendedores, hay referencias constantes a la Sugestión en todas sus formas.

Al vendedor embrionario se le instruye en lo que se denomina el "Pre-Enfoque", sea la autoformación general del vendedor, en la línea de la Autosugestión, para que pueda ponerse en el estado de ánimo adecuado para impresionar al cliente de la mejor manera.

Se le indica al vendedor que se llene con la idea del valor de los bienes que debe ofrecer al cliente; el hecho de que estos bienes son justo lo que este último necesita y debería tener en su negocio; el hecho de que, en lugar de pedirle un favor al cliente, el vendedor realmente le está haciendo un favor al mostrárselos, en resumen, se inculca en el vendedor el espíritu misionero con su ardiente celo por la "conversión", para que se convierte en un defensor entusiasta en lugar de un simple "vendedor de bienes".

Si la instrucción en la Sugestión no fuese más allá de esto, sería una valiosa adición a las cualidades del vendedor, pero va mucho más allá de este punto.

La siguiente etapa en la instrucción del vendedor es lo que se denomina "El Enfoque".

Esto es, la manera en que se debe abordar al posible cliente. El vendedor es instruido a comportarse de tal manera que sugiera respeto hacia sí mismo; y vestirse de tal manera que sugiera prestigio y prosperidad en los negocios, evitando un mal aspecto, por un lado, y el hacerlo en exceso, por el otro.

Se le enseña a mantener un estado mental alegre y optimista, ya que esto se manifiesta en su apariencia exterior y produce un efecto mucho mejor en el cliente que el de unos modales hoscos, burlones y pesimistas.

Luego sigue el método apropiado de presentarse uno mismo –y su negocio– al cliente, de acuerdo con el carácter de este último.

Una de las mayores compañías de venta en el país, en su pequeño manual para uso de sus vendedores, dice:

"Es probable que los primeros cinco minutos con el cliente, hagan o bloqueen la venta. Si te comportas de alguna manera antagónica u ofensiva con él, has perjudicado tus posibilidades desde el principio. Si no has podido complacerlo o atraerlo, no has hecho lo suficiente ".

Luego, siguen instrucciones con respecto a los elementos psicológicos de una venta.

Primero viene la atención: este es el primer punto de la venta, y el vendedor debe asegurarla, o de lo contrario no podrá continuar.

Luego sigue la etapa de curiosidad, e interés, en la que se enseña al vendedor a despertar la primera y ganarse el segundo. Debe despertarse el interés antes de que se despierte el deseo. Para despertar el interés, la propuesta de negocios o el artículo en venta debe presentarse de manera interesante, con palabras bien elegidas y pronunciadas correctamente.

Asegurado este punto, el vendedor es instruido en la ciencia de despertar el deseo, porque en esto reside la fuerza motriz que conduce a las ventas. Debe hacerse que el cliente "quiera" la cosa antes de que la compre.

Entonces se lo debe hacer "comprender" que *sí puede permitirse comprarlo.*

El precio no se menciona hasta el momento psicológico apropiado, y luego se introduce de una manera informal, con poco o ningún énfasis en la cantidad –solo una sugestión de que tal y tal precio "va con la cosa"–, como si fuese una especie de asunto paralelo, después de todo.

Luego viene el *"cierre"* de la venta", que culmina en obtener el pedido o firmar el contrato.

Este es el objetivo y la meta de todo el proceso, y muchos son los puntos de instrucción impartidos con respecto a este *cierre*.

La firma del pedido o contrato se sugiere señalando la línea correcta con la sugestión: "Firme *aquí*, por favor". Algunos llegan a sugerir la acción entregando al cliente una pluma estilográfica, inclinada en el "ángulo sugerente".

El vendedor potencial está capacitado para reconocer los diversos rasgos mentales que predominan en el cliente, y se suministran métodos mediante los cuales se pueden aplicar estas cualidades de manera adecuada.

Su vanidad, orgullo, codicia, aspiraciones sociales, celos, deseo de éxito, deseo de progreso, deseo de superación personal, todos estos son reconocidos y tienen sus sugestiones apropiadas.

La imaginación es objeto de consideración y se enseña al vendedor a pintar "imágenes" con palabras para estimularla.

Las ventas son realmente una ciencia y un arte en estos días, y cada día está "mejorando".

Los empleados de las tiendas minoristas son instruidos a hacer que sus clientes se sienten, a fin de que el vendedor, que permanece de pie, tenga la ventaja de la *"posición sugerente"*.

También son entrenados para usar "preguntas sugerentes", como:

"Esta sombra es muy hermosa, *¿no es así?"* O;

"Esto le iría muy bien, *¿no es así?"*

De esta manera al cliente se le sugiere directamente la respuesta en la primera parte de la pregunta, que consiste en una afirmación positiva seguida de una pregunta que solicita corroboración.

Es mucho más fácil decir "¡Sí!" que "No!" a la pregunta, *¿no es así?*

La vendedora que muestra a su clienta un artículo con un precio un poco más alto que el que está probando, le comenta:

"Aquí hay algo *muchísimo* mejor. Por supuesto, cuesta un poco más, pero vale la pena la diferencia, *pero, por supuesto... etc."*.

La sugestión implícita del "por supuesto", para el caso que la clienta pudiese no desear exceder el precio más bajo, a menudo sirve para "aguijonear" el orgullo de la clienta, que compra la cosa de mayor precio solo para demostrar que "puede" hacerlo.

Para los clientes más ricos, la sugestión es siempre de calidad, estilo, exclusividad, etc., mientras que para los más pobres siempre es "precio", "gangas" y el resto.

El vendedor o vendedora que entiende la naturaleza humana y la Sugestión, realizará ventas mucho más grandes que los que carecen de esta información.

El negocio del escaparate, la exhibición, el marcado de precios, etc., hace un uso liberal de la Sugestión.

Las modelos se visten con buen gusto en las ventanas, y las mujeres que las miran reciben la sugestión de que ellas también se verían de esa manera, si llevaran los mismos artículos.

En las tiendas de departamentos se usan hermosas modelos en vivo para que se "prueben" los abrigos, de manera que la clienta pueda ver *"cómo se le vería a usted, señora"*.

En el departamento de sombrerería, una joven a la que cualquier sombrero se le ve con estilo es usada para probarse varios sombreros, para que la cliente vea "cómo se le verán".

Todo esto es Sugestión pura y simple: la Sugestión por Asociación.

Marcar artículos como "Rebajado" o "Ganga" son sugestiones atractivas. "rebajado de $ 1.00 a 97 centavos", sugiere un gran ahorro. $4.98 parece mucho más barato que $5.00.

Un montón de artículos diferentes sobre una mesa marcada *"artículos en descuento"* sugiere grandes ofertas.

La Psicología de la Tienda Departamental es todo un experimento sobre la Sugestión.

****

En publicidad, se hace el mismo empleo de Sugestión.

Existe el "Comando Directo" o la Sugestión por Autoridad que te dice que *hagas* ciertas cosas "ya"; o que compres ciertas cosas por ciertas razones.

Existe la sugestión de gusto y sabor en anuncios de bebidas y comestibles. "Delicioso", "fragante", "dulce", "suave", "vigorizante", estas y otras palabras similares sugieren sabor u olor al lector.

Lee las columnas de publicidad del diario, o la sección de publicidad de las revistas actuales, a la luz de lo que hemos dicho, y nota los ingeniosos usos de la Sugestión.

Lee los rótulos en los escaparates de la tienda, o sobre sus puertas, y ve la parte que juega la Sugestión.

"La Tienda de la Calidad"

"El Hogar de las Gangas", etc.

Toda estas son sugestiones.

Un escritor de la revista "El Arte de las Ventas" dice:

"Crear publicidad que venda productos requiere el desarrollo de la parte humana del escritor. Debe comprender las diferentes fuerzas que dominan la atención, el interés, el deseo y la convicción ".

Como ves, la publicidad es una técnica de ventas a largo plazo, que involucra los mismos principios. El mismo escritor dice: "De hecho, el arte de vender y la publicidad son términos prácticamente sinónimos. Un buen publicista debe ser un buen vendedor. La única diferencia radica en el hecho de que el vendedor se encuentra con el cliente personalmente y el publicista le envía un mensaje por escrito. El mismo argumento, el mismo tacto y la misma persistencia deben estar presentes. Se necesitan más cerebro para vender los bienes que para fabricarlos; venderlos es un arte".

Un escritor de una revista dedicada a la publicidad dice:

"Escribir anuncios de forma realmente ingeniosa va mucho más lejos, y es mucho más profundo que usar fraseología inteligencia de esa por la cual la gente paga ... La publicidad toma en cuenta las impresiones subconscientes, las distintas fases de la sugestión y la asociación que se reciben a través de los ojos, la psicología del comando directo –todas merecen mucha consideración, y hay que tomarlas seriamente en cuenta, no importa cuánto dudemos en aceptarlo."

Este escritor no temió llamar naranjas a las naranjas, y afirma una verdad psicológica.

Otro escritor en la misma revista, dice:

"La publicidad es solo el arte de vender en papel; un mero medio de hacer dinero vendiendo cosas rápidamente. Este *'algo misterioso'* no es otra cosa que persuasión impresa y su otro nombre es 'convicción de venta'. La convicción puede ser impartida *a voluntad* por aquellos pocos escritores que han estudiado de cerca el proceso de pensamiento mediante el cual se induce la convicción. La misión de cada anuncio. es convertir a los lectores en compradores".

La diferencia principal entre el argumento de negocios y la sugestión de negocios es que el primero usa la "*Espada Ancha* de la Prueba", mientras el segundo usa "el *Sable de Esgrima* de la Insinuación".

El primero apela a la Razón, el último a los sentimientos, emociones y otras facultades mentales subconscientes.

7. SUGESTIÓN Y CARÁCTER.

Por "Carácter" nos referimos a las "cualidades o atributos mentales" de una persona. La reputación es la opinión que los demás tienen de uno; el Carácter es la suma de las cualidades y atributos mentales de uno, como realmente son.

El carácter se considera el resultado de la herencia, junto con la experiencia y el entorno. En el entorno y la experiencia hay que incluir la Sugestión. La educación es en gran parte una cuestión de sugestión; de hecho, algunas autoridades importantes afirman que nuestra educación está compuesta casi en su totalidad de Sugestiones de algún tipo.

Sin entrar a discutir esta cuestión, se puede afirmar con seguridad que un individuo es en gran parte lo que es por las sugestiones que ha *aceptado*. Nota que decimos "*Aceptado*", en lugar de "*experimentado*", porque uno experimenta muchas sugestiones que rechaza y se niega a aceptar. Las sugestiones rechazadas afectan el carácter solo de manera indirecta, es decir, en el tanto crean el hábito de rechazar sugestiones similares.

Las sugestiones que son *aceptadas*, se convierten en parte de nuestra naturaleza y carácter, y solo pueden eliminarse mediante sugestiones de naturaleza totalmente opuesta, lo suficientemente fuertes como para neutralizar las primeras.

Una vez comprendido esto, se verá el importante papel que desempeña la Sugestión en todos nosotros.

Las sugestiones que tan fuertemente se impresionan sobre nuestro carácter pueden llegar a lo largo de cualquiera de las diversas líneas de Sugestión, como se indica en los capítulos anteriores.

La Sugestión por Autoridad es una de las primeras formas de Sugestión que impresiona a la mente joven. Las declaraciones, puntos de vista, opiniones y acciones de aquellos en quienes el niño busca la autoridad se impresionan fuertemente en la mente del niño. Actuar en estas líneas es la **Sugestión por Imitación**.

El niño es una criatura imitativa, e instintivamente "recoge" las ideas, opiniones y modales, así como el código general de vida de sus mayores. El niño adquiere naturalmente las impresiones que se le sugieren, involuntariamente o voluntariamente, por aquellos con quienes se asocia. Crece para parecerse a aquellos de quienes está rodeado. Es como una esponja que absorbe ideas de sus asociados, particularmente de sus mayores, ya que su naturaleza es asimilar y absorber del mundo exterior.

La mente en la infancia es particularmente plástica, y los hábitos de sus años posteriores son influenciados en gran medida por las impresiones de la temprana juventud.

Ciertos sabios eclesiásticos han dicho: "Entréganos los primeros siete años de la vida de un niño, y puedes tener el resto".

Y si esos primeros años han sido entregados a aquellos cuya influencia sugestiva no es deseable, ese niño tendrá que trabajar duro en años posteriores para erradicar las impresiones tempranas.

Halleck dice bien:

"La analogía entre la plasticidad del nervio y el cerebro y la del *yeso de París* se ha señalado a menudo. El yeso recién mezclado puede moldearse fácilmente a voluntad, al igual que el cerebro y los nervios de un joven. Las personas después de los treinta años rara vez cambian radicalmente sus hábitos; de hecho, al llegar a los veinte tenemos la mayoría de nuestros hábitos ya delineados de la forma en que permanecerán el resto de la vida. Quien a esa edad carece de educación continuará teniendo este tipo de peculiaridades. Los errores en la gramática se deslizarán automáticamente de su lengua. El médico, el abogado, el clérigo, el empresario, el maestro, pronto adquieren los hábitos peculiares de sus profesiones. Si no nos adentramos en la vocación correcta a una edad temprana, quedamos atrapados en el vicio de hábitos difíciles de cambiar.

Nuestra forma de ver las cosas se cristaliza. Si dejamos de aprender cosas, seguiremos ignorándolas".

Aunque diferimos del profesor Halleck, en tanto afirmamos que la Nueva Psicología ha señalado métodos para cambiar hábitos tarde en la vida, estamos totalmente de acuerdo con su afirmación sobre la fuerza de las impresiones y sugestiones aceptadas durante la juventud.

Pero, el efecto de la Sugestión sobre el carácter no cesa con el paso de la juventud, pues nos afecta durante toda nuestra vida.

Somos "formados" constantemente a partir de las sugestiones que aceptamos. Si nos rendimos a las sugestiones inspiradoras, esperanzadoras y valientes contenidas en las palabras o ejemplos de otros, tendemos a desarrollar cualidades similares.

Si, por el contrario, permitimos que las sugestiones de fracaso, pesimistas, desalentadoras, carentes de esperanza, provenientes de las palabras y los ejemplos de otros, se hundan en nuestras mentes, tendemos a crecer de acuerdo con ellas.

Nuestros pensamientos, ideas, acciones y hábitos se forman a partir del ejemplo y los preceptos de los demás, modificados por supuesto por nuestros propios pensamientos sobre el tema. Pero incluso nuestros pensamientos y opiniones son en gran medida el resultado de los pensamientos y opiniones de otros que hemos *aceptado*. Nuestras vidas se modelan a partir de los patrones que aceptamos del mundo exterior; por lo tanto, debemos tener mucho cuidado con los patrones que aceptamos.

A menudo se ha dicho bien que somos el resultado de lo que hemos pensado. Y también es cierto que hemos pensado en gran medida lo que hemos aceptado y seleccionado de las influencias sugestivas a nuestro alrededor.

Se necesita un individuo muy fuerte para superar el efecto de su entorno, para sacudirse de las opiniones prevalecientes entre sus asociados y para decidirse en una nueva línea de pensamiento para sí mismo. Tales individuos son parecidos a los genios: el mortal común es incapaz de realizar la tarea, a menos que se haya inspirado en un esfuerzo renovado y científico gracias a las útiles sugestiones y la influencia de otros que saben de qué hablan.

Toma un niño con las mejores cualidades hereditarias, y colócalo entre ladrones, donde constantemente recibirá la autoridad y el ejemplo del vicio, y se requerirá casi un milagro para evitar que caiga en el pozo del crimen.

Los habitantes de un barrio crecen para parecerse entre sí de muchas maneras, debido a la fuerza de la sugestión y el ejemplo mutuos. Mudarse de un barrio a otro, de una ciudad a otra, ha cambiado la vida de muchas personas, para bien o para mal. Estos hechos no deberían necesitar más pruebas o argumentos: el uso de los poderes de observación debería ser suficiente para que sean evidentes.

La consideración de los hechos mencionados anteriormente puede tender a producir un sentimiento de tristeza o desaliento en la mente de algunos que pueden leerlos sin que refiramos el remedio. Y, de hecho, seguramente, estaríamos ante un estado de cosas triste y sin esperanza si no hubiera remedio. Pero la Naturaleza siempre proporciona un antídoto para cada perdición, y los que buscan el remedio siempre lo encontrarán.

La naturaleza nos ha dado Voluntad –una Voluntad para usar y ordenar nuestra vida y carácter como lo deseemos. Y por medio de esa Voluntad somos capaces de rechazar y resistir las sugestiones que no son propicias para nuestro bienestar, y de buscar, recibir y aceptar aquellas que están calculadas para fortalecer y desarrollar el carácter en la línea deseada.

Si fuésemos criaturas del azar y las circunstancias, de hecho seríamos como autómatas movidos por los cables del destino, las circunstancias y el entorno. Pero con la posesión de la Voluntad Soberana, podemos apartar y alejar las cosas perjudiciales, y atraer las calculadas para ayudarnos y desarrollarnos.

Nadie está obligado a *aceptar* una sugestión: a nadie se le impide rechazar una. Por el contrario, cada persona tiene el poder de elegir y decidir entre las impresiones que le llegan del mundo exterior, y de aceptarlas o rechazarlas como quiera.

Por medio de la actitud mental adecuada, uno puede hacer que las sugestiones adversas salgan volando como las balas desviadas por la armadura de acero de la nave de batalla.

Y al dirigir la atención hacia el tipo de sugestiones que uno desea, puede descubrirlas y seleccionarlas como propias de entre la gran cantidad de impresiones de carácter contrario.

Atraes hacia ti lo que es tuyo, encuentras aquello que buscas.

Como dice Kay: "Cuando uno se dedica a buscar una cosa, si mantiene la imagen de la misma claramente ante la mente, es muy probable que la encuentre, incluso donde probablemente de otro modo habría escapado a su atención ... Verdaderamente podemos decir de la mente, como se ha dicho del ojo, que "percibe solo hacia lo que dirige su poder de percibir".

Y como John Burroughs ha ilustrado acertadamente:

"Nadie nunca encontró un helecho en el camino, que no tuviese en mente el helecho del camino. Una persona cuyos ojos están llenos de reliquias indias, las encuentra en cada campo por el que camina. Las reconoce rápidamente porque sus ojos han sido encargados de encontrarlas".

Y la mente puede ser encargada de encontrar las cosas que se necesitan y se buscan, lo mismo que los ojos.

Halleck dice bien, con respecto al poder de la voluntad para moldear nuestros pensamientos, deseos y acciones, en lugar de permitir que sean controlados desde el exterior con sugestiones:

"En la capacidad de atención, tenemos la clave para la libertad de la voluntad. La *Atención voluntaria* crea el motivo. El motivo no crea la atención. De ahí que el motivo sea producto de la Voluntad. Si retiro mi atención de una idea, de un motivo, perderá vigor, como una planta privada de aire y humedad ... Por pura fuerza de voluntad, muchos han retirado su atención de ciertas tentaciones, la han centrado en otra cosa y, por lo tanto, han desarrollado un motivo contrario. "

Y aquí es donde el individuo puede hacer uso del poder de la Sugestión exterior en su propio desarrollo de carácter.

Al negarse a permitir que su atención sea atraída o retenida por impresiones y sugestiones (o sus fuentes) que son perjudiciales para su bienestar, las hace inútiles e ineficaces. Del mismo modo, manteniendo su atención siempre abierta hacia –y luego fijada firmemente en– aquellas que son propicias para su bienestar, puede rodearse de una atmósfera continua de sugestiones útiles y estimulantes, que lo inspirarán y lo fortalecerán.

El individuo es el maestro, el amo de la Sugestión, si tan solo utilizara la Voluntad con la que la Naturaleza lo ha dotado.

En el tema de la Autosugestión, que se considerará en la última parte de este libro, el lector encontrará un sistema de autodesarrollo, o de Desarrollo de Carácter, que no solo puede desarrollarlo a lo largo de las líneas deseadas, sino que también tenderá a atraer hacia sí influencias sugestivas en armonía con su propio carácter, –ya que lo semejante atrae lo semejante en el mundo del pensamiento y la sugestión, como lo hace en cualquier otro campo de las operaciones de la Naturaleza.

8. SUGESTIÓN EN LA INFANCIA.

En el capítulo anterior, llamamos tu atención sobre el hecho de que el período de la infancia es uno en el que las impresiones o sugestiones mentales se aceptan fácilmente y se mantienen firmemente en el carácter. La mayoría de padres y maestros pierden esto de vista, y parecen pensar (si lo piensan en absoluto) que la mente del niño funciona exactamente como la de un adulto.

Imaginan que un niño debería poder *ver* y entender la razón de las cosas, y de ser susceptible de entender razones, a pesar de que el niño no ha alcanzado la etapa de *razonamiento*, según se usa el término generalmente. El niño se rige casi por completo por los sentimientos y emociones, y por el efecto de las impresiones y sugestiones recibidas de quienes lo rodean.

Siendo este el caso, podemos ver cuán cuidadosos debemos ser para evitar el uso de sugestiones inapropiadas para el niño; y utilizar las apropiadas. El niño, naturalmente, acepta las sugestiones de sus padres, de una manera que sorprendería al padre o la madre si pudiese tan solo echar un vistazo al funcionamiento de la pequeña mente.

Con demasiada frecuencia, el niño queda impresionado con la idea de que "¡Johnny es tan terco! Nada lo hace cambiar cuando se decide a algo". O "Edward es *tan delicado*; la mínima cosa le molesta. Tenemos que ser muy cuidadosos con él ". O "Mary tiene una disposición terrible; parece hacer todo solo para enojarlo a uno, y para molestar a quienes la rodean". O "Samantha es demasiado estúpida para nada; a veces actúa como no estuviese bien de la cabeza".

Y así sucesivamente, *¡todo en presencia del niño!*

Y lo sorprendente es que el padre, o maestro, no parece darse cuenta de que el niño escucha atentamente lo que se le dice, y crece para aceptar la Sugestión por Autoridad y Repetición, y naturalmente actúa de acuerdo con la sugestión.

El pensamiento toma forma en acción, y estas imágenes mentales se manifiestan en forma material. El niño siente que es justo lo que sus mayores le reclaman, y naturalmente se alinea con ello. Mucho antes de que los padres se den cuenta, el niño está formando hábitos de carácter a partir de estas sugestiones repetidas que se hacen al respecto en su presencia.

El proceso es simple: el niño no *razona* sobre el asunto y luego decide actuar sobre las características sugeridas. Su mente subconsciente, o hábito mental, simplemente absorbe estas impresiones sugeridas, y cuando se repiten muchas veces al día, la impresión se fija en esa región de la mente.

Imagínate (tú, *que* lees estas palabras) que estás siendo sometidos a una corriente de críticas verbales de este tipo. ¿No tenderías a "justificar" las malas cualidades que se te atribuyen? ¿No crecerías, eventualmente, para desempeñar el papel que te fue asignado?

Eso es, si no te rebelas y cambias tu entorno.

El niño no puede cambiar su entorno, sino que debe quedarse donde está y escuchar este flujo perpetuo de sugestiones adversas, semana tras semana. Y, cuando te das cuenta de que la mente del niño es cien veces más impresionable que la tuya, puedes comenzar a comprender el efecto de estas sugestiones en ella.

De la misma manera, los comentarios repetidos de algunas madres tontas, en el sentido de que *"Eloise es tan hermosa; la gente la nota en las calles y se da vuelta para mirarla , esto en presencia de la niña,* ejercerá una influencia sobre la mente y el carácter futura de esa niña.

O la sugestión tan común de que "Carmencita es *tan* tímida; siempre teme a los extraños, y no puedo hacer que les hable".

¡Ahora imagínese lo que eso significa para la sensible niña cuando oye lo que se dice en su presencia y en la del extraño!

¿Cómo te sentirías si fueras sensible, y tus amigos dijeran *en tu presencia* cuando conoces a alguien por primera vez: "¡Oh, señor Brown, realmente debe disculpar lo vergonzosa que es la señorita Psyche! Ella se ruboriza cada vez que conoce a alguien, ¡y no se le ocurre nada que decir!"?

¿Cómo te sentirías con la sal frotándose en la herida abierta de tu autoconciencia?

Multiplica tus sentimientos por diez, y tienes a la niña en cuestión.

¿No ves que este es el método más fuerte posible para desarrollar la autoconciencia del niño? ¡El método exacto que se usaría si uno estuviese tratando a propósito *de hacer* que el niño fuese tímido y vergonzoso!

Además del impacto en la naturaleza sensible, en realidad también se está desarrollando el carácter del niño siguiendo las líneas de la Sugestión de la Repetición.

Hemos visto madres que gritan a sus niños cuando cogen un adorno: "Oh, Mabel, se te va a *caer*, mira, se te va a *resbalar de los dedos*, ¡quítenselo, rápido, antes de que lo deje *caer*!"

Y muchas cosas más del mismo tipo.

Cuando uno comprende que es precisamente mediante esta clase de sugestiones que en psicología experimental se logra que los sujetos sugestivos hagan cosas, uno puede preguntarse por qué Mabel no deja caer el adorno en la primera sugestión, para no mencionar la repetición insistente de su madre. De hecho, con frecuencia, lo hace, lo deja caer.

Un amable, "Ponlo de nuevo en su lugar, Mabel; a mamá no le gusta que le muevan los adornos", estaría mejor para preservar la integridad del adorno.

Similar a esto es la sugestión de: "Oh, por Dios, ¡se caerá por las escaleras! Querido, cuidado, *te vas a caer*; te caerás en un minuto; ¡Cuidado!"

¿Te sorprendería si el niño se cae, después de tal sugestión? ¿No ves que se le está suministrando fuerza motriz a la acción sugerida?

En tal caso, lo que hay que hacer es mantener la calma y, sobre todo, no dejar que el niño capte tu pensamiento de miedo. El miedo es contagioso, por el canal de la Sugestión.

Si alguna vez has presenciado un experimento psicológico de Sugestión, puedes apreciar la fuerza motriz que está latente en una Sugestión fuerte, sobre todo para una mente impresionable, ¡y los niños tienen mentes impresionables!

Nos molesta tener que incluir referencias a la criminal práctica de dar a los niños sugestiones de miedo; estos temas pertenecen a las Edades Oscuras de la crianza de los hijos, pero ¡ay!, seguimos escuchando de nuevas instancias de su persistencia cada pocos días.

Cuando uno piensa en los terrores experimentados por las pequeñas mentes por culpa de las sugestiones sobre "el Coco", "la sombra malvada", "¡El viejillo del saco que te va a comer!" "¡Algo te agarrará del pie si te sales de la cama!"; "¡Ten cuidado cuando subas las oscuras escaleras porque algo te puede asustar!"; y todas las demás sugestiones infernales de ese tipo, se nos hace difícil hablar con la convencional restricción.

Hemos conocido a mujeres de mediana edad que nunca han sido capaces de superar estas impresiones de miedo de su juventud temprana. El "coco" está tan firmemente alojado en su mente subconsciente que todo su conocimiento y su raciocinio no resultan suficientes para erradicarlo.

Como dijo aquel conocido caballero inglés, de indudable valor y elevadas facultades de razonamiento,:

"De día, me río y no creo en ninguna de esas cosas espeluznantes; pero en la oscuridad de la medianoche, en mi dormitorio, me encuentro creyendo en todos los horrores de mi imaginación infantil".

¡Y todo esto es el resultado de estas sugestiones criminales!

Muchos "niños" se vuelven "nerviosos" y "temerosos" por el resto de su vida, por estos "Cocos" de la infancia. Para alguien que entiende el funcionamiento de la Ley de la Sugestión, tales cosas parecen tan malas como la brujería y la hechicería.

Pero también es cierto lo contrario de esta proposición general.

Así como las sugestiones adversas pueden ser perjudiciales para el niño, también pueden ser útiles las adecuadas. Si debes hacer sugestiones al pequeño –y a su alrededor–, usa como temas los puntos favorables del niño o aquellos en los que deseas que el niño mejore.

En el caso del niño tímido, ofrécele la silenciosa Sugestión por Asociación ignorando su timidez– no tomes notas de su debilidad y asegúrate de que tus amigos actúen de la misma manera. Pronto el niño, al ver que no se le nota, comenzará a evidenciar el natural deseo infantil de atraer la atención, y comenzará a salir de su caparazón.

El niño con las manos sucias puede mejorar si se llama la atención de los amigos sobre cómo "Johnny se está haciendo grande", y "cuánto más limpias mantiene sus manos ahora que cuando era pequeño".

Siempre concentra tus sugestiones en *lo que quieres que sean los niños*, no en lo que *temes* que serán o son.

Así como en la Autosugestión sostienes la imagen mental de aquello en *lo que deseas convertirte*, como el patrón sobre el cual tu subconsciente modelará tu nuevo carácter; así mismo, siempre debes sostener ante el niño una imagen mental de lo que deseas que sea.

No nos malinterpretes, no pretendemos aconsejarte que *sermonees* al niño, a ningún niño le gusta esto: queremos que actúes y sugieras que el niño realmente se *está* convirtiendo en o actuando como lo que deseas.

Te dará una mejor idea si *reviertes* la línea de sugestiones que objetamos en la primera parte de este capítulo.

Alienta los aspectos positivos, y los aspectos negativos desaparecerán. Cultiva las tendencias deseables, y las indeseables morirán por falta de alimento.

Por encima de todo, comprende que la mente del niño pequeño es como una placa de impresión suave o una película fotográfica sensible; por lo tanto, ten cuidado con los objetos de sugestión que coloques ante ella. Coloca en su mente imágenes brillantes, fuertes y positivas, y evita las del tipo opuesto.

En conclusión, te recordamos que las acciones, opiniones, ideas y la vida general de los padres actúan como sugestiones para el niño.

"Igual que papá y mamá", es la idea instintiva en la mente de cada niño, desde sus primeros días.

Por lo tanto, "Papá y mamá" tienen una responsabilidad considerable en esta dirección, especialmente durante los primeros días del niño. Lo que hacen papá o mamá es el evangelio para el niño: ***todo, bueno y malo, es digno de imitación***. La Sugestión por Imitación siempre está activa en la familia. Condúcete consecuentemente.

Los maestros tienen la misma responsabilidad: "El maestro lo hace", es excusa suficiente para el niño. Siempre hay *"un niño entre nosotros, tomando notas"*. Y estas notas son notas sugestivas.

Se podría escribir un libro completo sobre este tema, para acaso hacerle justicia. Pero confiamos en que los consejos dados aquí puedan llegar a algunos para quienes están destinados y que los necesitan mucho. Es posible que no puedas dar a tus hijos las riquezas o "ventajas" que te gustaría darles (tal vez eso sea mucho mejor para ellos), pero tienes la oportunidad de darles las mejores sugestiones posibles, lo "mejor de la tienda ", y eso es *mucho*, ciertamente es *muchísimo*.

Parte II .
Sugestión Terapéutica

9. SUGESTIÓN Y SALUD.

Quizás de ninguna otra manera la Sugestión sea tan comúnmente aceptada por las personas que en relación con su condición física o su salud.

Cada día personas se enferman y otras se curan por medio de sugestión pura y simple. Nos proponemos dedicar varios capítulos de este libro a varias fases de la Sugestión Terapéutica, pero es importante en este punto, llamar tu atención sobre el efecto indudable de la Sugestión sobre las funciones fisiológicas.

La ciencia lo ha reconocido, y la medicina moderna lo toma en seria consideración. Cultos y escuelas de pensamiento se han construido sobre este hecho, y el principio subyacente se ha perdido de vista por las diversas teorías, explicaciones, dogmas e ideas filosóficas y teológicas que se han creado a su alrededor.

Algunas autoridades lo llaman *"El efecto de la imaginación sobre los estados físicos"* o *"El poder de la mente sobre el cuerpo"*, pero la sugestión es el principio activo que se aplica en todas las diversas formas, y bajo todos los diversos nombres, y a pesar de las teorías conflictivas.

Que los estados mentales afectan la función fisiológica es admitido por las mejores autoridades de la ciencia médica, y lo ha sido durante muchos años. Pero solo en los últimos años se han enseñado y practicado en alguna medida métodos de aplicación del principio.

Anteriormente, el principio se mencionaba solo en relación con la producción o inducción de enfermedades por estados mentales adversos.

Tal vez una consideración de las más antiguas autoridades podría ser interesante e instructiva en esta etapa, antes de abordar el tema general de la Sugestión Terapéutica.

Sir Samuel Baker, en el *British and Foreign Medico-Chirurgical Review*, dijo:

"En ciertas partes de África, cualquier pena o enojo severo es casi seguro que sea seguido por fiebre."

Sir B.W. Richardson dijo:

"La diabetes causada por un shock mental repentino es un tipo puro y cierto de una enfermedad física de origen mental".

Sir George Paget dijo:

"En muchos casos, he visto razones para creer que el cáncer ha tenido su origen en una prolongada ansiedad".

El Dr. Murchison dijo:

"Me ha sorprendido la frecuencia con la que los pacientes con cáncer de hígado rastrean su causa a una pena o ansiedad prolongados. Los casos son demasiado numerosos para considerarlos meras coincidencias".

El profesor Elmer Gates dice:

"Mis experimentos muestran que las emociones irascibles, malévolas y deprimentes generan en el sistema compuestos nocivos, algunos de los cuales son extremadamente tóxicos; y también que las emociones agradables y felices generan compuestos químicos de valor nutritivo, que estimulan a las células a fabricar energía".

El Dr. F.W. Southworth dice:

"Si las causas mentales pueden cambiar las diversas secreciones del cuerpo, haciéndolas venenosas –por ejemplo, la saliva y la leche en el pecho–, bajo la influencia de la ira, la preocupación o el miedo, ¿no podría también producir enfermedades si su eliminación es imperfecta o parcial? ¿Sería improbable que el miedo, una fuerza negativa mayor que la ira, pueda producir los resultados indicados?"

Todos los estados mentales mencionados anteriormente como causa probable de enfermedad pueden ser y son producidos por Sugestión o Autosugestión.

Si bien esa misteriosa fuerza tras los estados mentales pueda escapar a nuestra definición –a menos que consideremos que es una fase de la

Voluntad–, podemos afirmar con seguridad que en la Sugestión encontramos la energía motriz que hace que esta fuerza entre en funcionamiento.

De igual manera, lo que llamamos "Imaginación", no es más que una imagen mental creada en las regiones imaginativas de la mente por medio de la Sugestión, que luego es materializada sea por Miedo o por Fe (que en términos generales actúan de la misma manera).

La siguiente interesante cita del profesor Halleck mostrará el efecto de estas imágenes mentales sugestivas, consideradas como productos de la Imaginación:

"Cuando se toma una imagen mental como si fuese realidad, a menudo se producen sorprendentes resultados. De hecho, a veces estos resultados son más pronunciados que si la imagen fuese realidad.

Uno puede encontrar muchas ilustraciones de esto en la vida cotidiana ... Si no fuera por este poder de la imaginación, la mayoría de los remedios o medicinas falsas desaparecerían.

En la mayoría de los casos, las píldoras de pan, debidamente etiquetadas, con positivas garantías de que ofrecen cierta curación, responderían al propósito mucho mejor que estos remedios, e incluso mucho mejor que gran parte de la medicina administrada por médicos regulares...

Tal vez no haya una persona viva que no se beneficiaría de cuando en cuando de una píldora de pan, administrada por alguien en quien deposita gran confianza...

Se han eliminado verrugas con medicamentos cuyo efecto no podría más que haber sido mental."

El Dr. Tuke relata muchos casos de pacientes curados de reumatismo frotándolos con determinada sustancia que se decía poseía poder mágico. El material en algunos casos era metal; en otros madera; en otros, cera.

También relata el caso de un oficial muy inteligente que había tomado en vano poderosos remedios para curar calambres de estómago. Se le dijo entonces que, cuando sufriera el próximo ataque, le administrarían un medicamento que todos creían que era el más efectivo, pero que rara vez se usaba. Cuando volvieron los calambres, se le administró un polvo que contenía cuatro granos de galleta molida en intervalos de siete minutos, mientras que quien se lo daba expresaba con la mayor ansiedad (asegurándose de que el paciente lo oyera) que "*tenía que tener cuidado de no darle demasiado*". ¡Las dosis de bismuto nunca habían obtenido tal alivio en menos de tres horas! Cuatro veces se repitió el mismo tipo de ataque, y cuatro veces se administró el mismo remedio con un éxito similar.

Un cirujano en un hospital francés experimentó con cien pacientes, dándoles agua azucarada. Luego, con gran muestra de miedo, fingió haber cometido un error, diciéndoles que les había dado un vomitivo en lugar de la medicina adecuada.

El Dr. Tuke dice sobre este caso:

"El resultado puede ser fácilmente anticipado por quienes conocen la influencia de la imaginación. No menos de ochenta –cuatro quintos– se sintieron inequívocamente enfermos ".

Conoces los casos de personas a las que se les ha dicho repetidamente, como broma, que se veían muy enfermas, y que terminaron en cama con varias enfermedades. También del hombre que pensó que estaba sangrando hasta morir, porque escuchaba un goteo – que en realidad era de agua– acompañando una pequeña incisión que le hicieron en su brazo los cirujanos. La muerte real se produjo como consecuencia de la conmoción y el susto.

Muchos casos similares se relatan en los anales de la medicina. Todo profesor de una escuela de medicina ha tenido numerosas experiencias en las que los estudiantes desarrollan los síntomas de las diversas enfermedades que han estado estudiando.

Se estima que durante las grandes epidemias, mueren tantos de miedo como por la enfermedad misma.

Un médico de buena reputación nos aseguró personalmente, que una vez asistió a un caso en el que la paciente creía haber tomado una dosis de estricnina por error. Cuando llegó el médico, la paciente mostraba todos los síntomas de envenenamiento por estricnina (había presenciado previamente la muerte de un perro a causa de un veneno similar) y solo se recuperó después de que se administraron los antídotos y tratamientos habituales, y siguió débil durante mucho tiempo después, a pesar del hecho de que después de que el médico se fue, la botella de veneno se encontró intacta: la mujer había tomado una mezcla inofensiva.

Muchos médicos de larga práctica relatan experiencias similares en su propia vida profesional. El miedo es un veneno virulento, en muchos casos, así como la alegría es un poderoso restaurador y vigorizante.

El Dr. Geo. R. Patton en un artículo leído ante una sociedad médica en 1900, hizo las siguientes afirmaciones:

"La mente, como fuerza dinámica ejercida sobre las funciones del cuerpo, se ha manifestado, sin duda, operativamente desde la cuna de nuestra existencia. Aunque el hecho puede no haber sido tan reconocido en este período primitivo, en realidad es la explicación de las curaciones que luego se atribuyeron a la influencia de las estrellas, a las adivinaciones, los talismanes, los encantos *y cosas del género*. En la infancia de nuestra raza no había médicos ni drogas, y los medios de curación eran totalmente mentales, ayudados por los llamados *"esfuerzos de la naturaleza"*.

Heródoto nos dice que los babilonios, caldeos y otras naciones de la antigüedad no tenían médicos ni usaban medicamentos. Incluso cuando la práctica de la curación pasó de Oriente a Egipto, y desde allí a Grecia, se limitaba exclusivamente a los templos.

En este período era creencia universal que todas las enfermedades se debían a la ira de los dioses y, por lo tanto, las oraciones con ceremonias de pompa y misticismo se usaban para retornar *el favor del cielo* a los enfermos, y todos eran de naturaleza tal que actuaban vívidamente sobre la imaginación y las emociones ... Ahora, estas medidas, en su totalidad, estaban bien calculadas para suscitar una acción nueva y favorable en los centros nerviosos y, a través de ellas, una influencia sanitaria sobre los procesos de asimilación y nutrición, así como sobre las funciones orgánicas.

En un período posterior, cuando la medicina comenzó a difundirse por primera vez desde Grecia hacia el mundo exterior ... si la recuperación tenía lugar, se acreditaba por completo a un encantamiento, conjuro, amuleto o talismán, lo que ahora, en parte, ocupaba el lugar de las ceremonias en el templo como medio de curación.

Aquí, nuevamente, vemos los efectos de la credulidad y la superstición ejercidos a través de las emociones y la imaginación sobre los males del cuerpo.

En un período posterior de la historia de la medicina, magia y medicina eran términos casi sinónimos; de hecho, la práctica de la medicina consistió casi en su totalidad en "maquinaciones de magia". Una palabra garabateada en un pergamino, por ejemplo, curaba las fiebres; un hexámetro de la Ilíada de Homero curaba la gota, mientras que el reumatismo sucumbía a un verso de Lamentaciones. Estos remedios podían multiplicarse y, sin duda, todos eran igualmente potentes para curar de la misma manera.

Las cosas repulsivas y ridículas que en aquel tiempo, con tanta frecuencia y tan libremente se daban a los enfermos solo podían haber sido curativas a través de una impresión mental transmitida al cuerpo; porque ¿quién podría tomar una poción del cráneo de un asesino; o una tintura hecha de piojos; o una pastilla de hígado seco de murciélago; o un polvo a base de cabezas y patas de arañas, sin experimentar una profunda emoción?

Incluso ahora, los remedios nuevos, inusuales y que aún no han sido probados son a menudo más eficientes que los viejos y bien probados, y el médico astuto y conocedor a menudo se aprovecha de este hecho".

En todos y cada uno de los casos mencionados anteriormente, el efecto fue, sin duda, causado por el poder de la Sugestión, en una o más de sus diversas formas y fases. Continuaremos este tema en el siguiente capítulo.

10. SUGESTIÓN VELADA.

No solo en tiempos antiguos se utilizaba la Sugestión, bajo diversos disfraces empleados para despertar las mentes de las personas de tal manera que se lograran beneficios terapéuticos. En la historia relativamente reciente –sí, incluso en nuestros días–, se han empleado los mismos métodos con los mismos resultados. La historia se repite constantemente, en la Sugestión Terapéutica como en todo lo demás.

A lo largo de la historia de la humanidad durante los últimos mil años, encontramos numerosos ejemplos del empleo de la "Sugestión velada", o encubierta, que es la Sugestión que lleva el velo de alguna forma externa o creencia, que opera para curar a las personas enfermas.

Escuchamos innumerables casos de pozos sagrados, grutas sagradas, reliquias sagradas, santuarios y otros lugares asociados con diversas religiones, a los que se les ha atribuido maravillosas curaciones de dolencias físicas. Muchos casos supuestamente incurables han sido curados en estos lugares, o por medio de estos objetos sagrados. Los santuarios, los pozos y las capillas se llenan con las muletas de los tullidos curados, y se informa de innumerables casos bien documentados de curaciones maravillosas. Pero, a lo largo de toda la historia, se han registrado curaciones similares que acompañan a todas las formas de religiones, de modo que el investigador científico pronto llega a la conclusión de que la única virtud en la asociación religiosa de la curación consiste en la fe y la asociación en la mente del paciente, en la línea de la Sugestión.

Los mismos resultados se obtienen por tantos métodos diferentes, y bajo tantas fases diferentes de creencias religiosas, tanto cristiana como "pagana", que debe admitirse que la causa real está más allá del credo, la forma o la ceremonia: la sugestión es vista como la causa real.

Hay un caso bien conocido relacionado con un "Hueso Sagrado" que obtuvo una gran reputación en la Edad Media por su maravilloso poder para curar enfermedades. Este hueso había sido traído de la Tierra Santa por dos soldados de las cruzadas, y se suponía que era parte del esqueleto de algún gran personaje del Nuevo Testamento.

Sólo con la muerte de uno de estos soldados, años después, se supo la verdad. En su lecho de muerte, el soldado confesó que él y su compañero, habiéndose emborrachado durante el viaje, habían perdido la verdadera reliquia que transportaban de Tierra Santa. Temiendo volver a casa sin ella, la sustituyeron con el hueso de una oveja que encontraron en un campo.

Para su sorpresa, este hueso de oveja operaba como medio para curaciones maravillosas, y acordaron mantener el asunto en silencio.

En este caso, como en muchos otros de naturaleza similar, la fe y la creencia de la gente, actuando en la línea de la Sugestión, funcionó como un poder dinámico para producir cambios y operaciones fisiológicas, lo que resultó en la restauración de la salud para muchos sufrientes.

Después de que se revelara la naturaleza de la reliquia, las curaciones cesaron de inmediato y muchos de los que habían sido sanados se enfermaron nuevamente.

Anteriormente se creía que los reyes de Inglaterra y Francia poseían grandes poderes curativos, aplicados mediante la imposición de manos.

Esto se conocía como el "Toque Real" y se creía que era especialmente eficaz en casos de escrófula. Miles se curaron de esta y otras enfermedades similares, y el *don* real nunca se puso en duda.

Wiseman, destacado cirujano de hace varios siglos, escribió sobre el "Toque Real":

"Yo mismo he sido testigo ocular de miles de curaciones realizadas solo por el toque de Su Majestad, sin la ayuda de medicina o cirugía, y de ellos muchos ya habían agotado los esfuerzos de los cirujanos más capaces antes de llegar aquí. Debo profesar que lo que escribo no es más que una demostración de la debilidad de nuestra habilidad en comparación con la de su majestad, que curó en un año más personas de las que fueron curadas por todos los cirujanos de Londres en toda una época".

La virtud del "Toque Real" nunca se dudó, hasta que en el siglo XVII, surgió un simulador llamado Greatrakes, que afirmaba poseer el Toque Real y que curó a miles de personas mediante la imposición de manos. Su influencia fue tan marcada que el trono se preocupó, porque la gente murmuraba que Greatrakes debía ser el descendiente de un antiguo rey y el legítimo heredero del trono.

La Real Sociedad de Cirujanos de Londres investigó a Greatrakes y sus curaciones, e hizo un informe afirmando que sus curaciones surgían de "un misterioso contagio sanativo en su cuerpo".

¡Los estudiantes modernos de la Sugestión ofrecen una explicación más científica!

Similar a estos casos es el de Elijah Perkins, un herrero de Connecticut, quien inventó un conjunto de "*tractores* metálicos", que

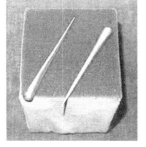

eran dispositivos con forma de pinza compuesto de varios tipos de metal.

Estos tractores se aplicaban a las partes afectadas del cuerpo, y como resultado se dieron curaciones maravillosas. El carácter y la cantidad de curaciones realizadas por Perkins causó furor, y se fundó una escuela del arte curativo que se llamó "Perkinismo". Nueva Inglaterra fue "tomada" por la nueva maravilla, y el contagio se extendió rápidamente en el resto del país. Luego se llevó a Inglaterra y al continente europeo con igual éxito. Se erigieron escuelas y hospitales, en los que se practicaba el "perkinismo". Los registros de la época indican que más de un millón de curaciones se hicieron solo en Europa.

Las personas de clases altas y bajas, eran tratadas con mayor o menor éxito.

La burbuja fue finalmente estallada por el Dr. Haygarth de Londres, quien sostuvo que las curaciones eran resultado de la imaginación y no de ninguna virtud inherente a las pinzas o tractores.

En consecuencia, procedió a probar esta teoría, de la siguiente manera, según lo reportó un cronista de la época:

"Esculpió piezas de madera en forma de tractores, y con mucha presunción de pompa y ceremonia las aplicó a una serie de personas enfermas que previamente habían sido preparadas para que esperaran algo extraordinario. Los efectos resultaron ser asombrosos. Terribles dolores en las extremidades se curaron repentinamente. Articulaciones que habían permanecido inamovibles durante mucho tiempo recuperaron su movilidad y, en resumen, –excepto por el recrecimiento de extremidades perdidas o por el cambio en la estructura mecánica del cuerpo– nada parecía estar más allá de su poder curativo".

Estos resultados, cuando fueron explicados, perforaron la burbuja del "Perkinismo", y la locura se calmó. En este caso, como en el otro, la "imaginación" era simplemente una forma de Sugestión en la línea de la que hemos hablado en los capítulos anteriores.

El éxito del Dowie, y otros cultos religiosos o semi-religiosos similares demuestran lo mismo: la existencia de algún principio fundamental que subyace a todas estas afirmaciones opuestas, que opera cuando y donde se le invoque.

Dowie, sin duda, curó a miles de personas a pesar de la crudeza de sus métodos y credos, y a pesar de la naturaleza ridícula de sus afirmaciones.

Y así es y ha sido, y será con otros cultos similares. Hacen aproximadamente el mismo porcentaje de curaciones, porque aplican el mismo principio fundamental de Sugestión velada por sus diversos credos, creencias y formas de aplicación.

El Movimiento Emmanuel, que está atrayendo tanta atención en este momento, emplea el mismo Principio fundamental, pero a diferencia de sus predecesores, reconoce francamente la naturaleza de ese principio y admite que es una Sugestión.

La atmósfera e influencia religiosa que rodea a estas "curaciones de la iglesia" está especialmente adaptada para despertar los sentimientos de fe, creencia y emoción religiosa en el paciente, y estos se encuentran entre los factores emotivos más fuertes en las curaciones mentales, ya que sirven para poner en funcionamiento la Fuerza dinámica de la mente del paciente, que tiende a restablecer el funcionamiento normal.

De hecho, admitimos libremente que muchas de estas curaciones no se hubiesen logrado con los métodos del profesional habitual de la Sugestión, debido a que esta última no habría podido despertar en forma suficiente el poder emotivo del paciente: cuanto mayor sea el poder emotivo y la atención expectante que el sanador puede despertar en el paciente, mayores serán las posibilidades de curación.

Los médicos conocen el valor del "placebo", que es simplemente una receta inofensiva, que consiste en agua saborizada, una píldora sin efecto medicinal o algo similar. Es la idea de la célebre "píldora de pan". Todos los médicos conocen muchas curaciones maravillosas efectuadas por estas inofensivas "medicinas", el efecto depende completamente de lo que los médicos antes llamaban "imaginación", pero que ahora conocen como Sugestión.

Sir Humphrey Davy una vez curó un caso difícil por virtud del termómetro clínico, que el paciente declaró que lo hizo sentir mucho mejor en el momento en que se lo aplicó en la boca.

Muchas curaciones realizadas por medicinas tradicionales patentadas han ocurrido de la misma manera.

Las diversas decocciones que antes vendían los faquires de las esquinas de las ciudades rurales, curaban a la gente de la misma manera.

Los mil y un aparatos y dispositivos tan ampliamente publicitados en los periódicos rurales, dependen de la Sugestión para su virtud curativa. Todos hacen curaciones, y de la misma manera.

Ahora todo esto no significa simplemente que estas curaciones "imaginarias" son irreales, o que solo curan enfermedades imaginarias, como muchos han asumido. Simplemente significa que actúan despertando las dinámicas fuerzas latentes de la mente, en la línea de la Sugestión. Y estas fuerzas mentales son lo suficientemente poderosas para actuar y reaccionar sobre las funciones corporales y los órganos.

A ninguno de nosotros se nos debe recordar que los estados mentales tienen un efecto directo sobre las funciones físicas.

¿Quién no conoce el efecto del miedo, la pena o la alegría en las funciones de la digestión, la asimilación y la eliminación?

El cambio de un estado mental reacciona sobre el sistema físico a la vez. Perdemos el apetito al recibir malas noticias; Pero las buenas noticias nos dan ganas de disfrutar la comida.

Una visión asquerosa, o un mal recuerdo producirá náuseas. La idea de ciertos alimentos hará que fluya la saliva y que se segreguen los jugos gástricos.

Estas cosas no son tonterías ni imaginación fantasiosa: son hechos psicofisiológicos, conocidos y enseñados en libros de texto sobre el tema.

Y la Sugestión Terapéutica científica, racional y lógica se basa en este principio fundamental de acción y reacción entre la mente y el cuerpo, o más bien entre la mente del cerebro y la mente en las células y órganos del cuerpo, ya que ahora se sabe que hay *mente* en cada célula y centro del cuerpo físico. En los capítulos que siguen llamaremos tu atención tanto a la teoría como a la práctica de la Sugestión Terapéutica, como lo enseñan las mejores autoridades de hoy. Es un tema que merece la atención cuidadosa y el estudio de toda persona pensante.

11. SUGESTIÓN TERAPÉUTICA.

El término "Sugestión Terapéutica" ha adquirido un uso popular durante los últimos diez años, debido al hecho de que la Sugestión ha llegado a ser reconocida en los círculos médicos regulares como un método valioso para tratar muchas formas de trastornos mentales y físicos.

Si bien el término se usa a menudo en su significado estrecho de tratamiento por Sugestión como Sugestión, con el pleno conocimiento por parte del paciente del principio subyacente, aún es aplicable de manera adecuada en todos los casos de curación o tratamiento de enfermedades en las que las actividades mentales se llevan a influir en el cuerpo mediante sugestiones veladas, consejos o "declaraciones" de las diversas escuelas de sanación metafísica, incluidas las sectas y cultos religiosos o cuasi religiosos.

En este sentido amplio, la Sugestión Terapéutica hoy en día debe ser reconocida como uno de los métodos más populares y comúnmente utilizados para el tratamiento de trastornos físicos. Y, dejando de lado las afirmaciones y teorías fanáticas de algunos cultos, se encontrará una base sólida de los hechos subyacentes a los diversos métodos empleados.

La Sugestión Terapéutica como ciencia está emergiendo de las brumas y nubes de la superstición y de las declaraciones y creencias fanáticas, y está afirmando su derecho a ser considerada como cualquier otra ciencia, por sus méritos, y con una mente justa y abierta.

Esto está siendo reconocido por muchas de las mentes líderes en la profesión médica y fuera de ella, aunque muchos de los ultra conservadores aún permanecen en la retaguardia, protestando contra la innovación. Pero se está haciendo un progreso constante.

Como dice Max Eastman en un artículo reciente en una revista:

"La misión de este artículo es ofrecer orientación en un asunto sobre el cual una gran cantidad de público aún se encuentra a la deriva. En esta cuestión de "mente sobre la materia", los reformadores han hecho su trabajo. Han agitado las cosas. Han otorgado al mundo alrededor de ciento cincuenta pequeñas religiones y una idea confusa de que debe haber algo de verdad en el asunto en algún lugar. Los ignorantes han hecho su trabajo. Han perseguido a los creyentes, se han burlado de ellos o los han condenado con una sonrisa vacía. A este mundo nunca le faltará lastre.

Únicamente los científicos *NO* han cumplido con su deber.

Han seguido en su rutina de lecturas elevadas, han escrito algunos libros incomprensibles y han mantenido la ciencia de la Psicología encerrada en sus propios y orgullosos senos, fuera del alcance del hambriento mundo.

En todo este alboroto de curaciones por fe, y milagros, y gritos de profetas, hemos escuchado pocas palabras esclarecedoras por parte de las universidades. La consecuencia es que estamos sin timón, y la reforma ahora sopla de una manera y ahora de otra".

El rápido crecimiento de lo que se conoce como "El Movimiento Emmanuel" ha servido para que gran número de personas conservadoras comprendan que pueden realizarse muchas curaciones por medio de la Sugestión Terapéutica pura y simple, bajo los auspicios de organizaciones eclesiásticas, pero sin los accesorios de fantasiosas creencias o teorías metafísicas.

El hecho de que estos sanadores de Emmanuel estén logrando los mismos resultados, sin hacer los reclamos de las escuelas metafísicas por un lado, o sin reclamar el monopolio del poder curativo, por el otro, ha abierto los ojos de muchas personas que hasta ahora han pensado que el poder curativo de los cultos se debía a un poder especial que no estaba relacionado con los principios naturales ordinarios reconocidos por la ciencia.

El Movimiento Emmanuel aún está en su infancia, y hay espacio para una gran mejora en algunos de sus métodos, pero la honestidad de sus maestros y sanadores no puede ser cuestionada, y se ha manifestado una firme determinación de evitar el reclamo de poderes milagrosos o del monopolio de la verdad.

El auge y la popularidad de este movimiento es un signo esperanzador, y uno que alienta a aquellos fuera del movimiento que han estado interesados durante mucho tiempo en el tema de la Sugestión Terapéutica.

Al mismo tiempo, existe, tanto en este país como en el extranjero, un cuerpo en rápido crecimiento de trabajadores serios entre las filas de los Profesionales en Medicina, que utilizan la Sugestión en su práctica, con excelentes resultados.

Estos profesionales han descubierto que muchos trastornos que antes se creía tenían causas puramente físicas, realmente tienen sus raíces y causas en los estados y condiciones mentales. En consecuencia, tratan la fuente del problema, en lugar de los síntomas, con excelentes resultados.

Y, estos profesionales también han determinado que, incluso en casos de problemas puramente físicos, la mente puede dirigirse hacia el fortalecimiento y estimulación de los diversos órganos para que tengan un funcionamiento normal, por medio de la Sugestión.

Y es aquí donde el gran campo para futuras investigaciones y experimentos se abre a estos buscadores sinceros de la verdad en su profesión.

Ya pasó la época del antagonismo entre las personas fuera de la profesión médica que creían en la "Curación por medio de la mente", y los practicantes de "Sugestión Terapéutica" dentro de la profesión médica. Ha llegado la era del entendimiento mutuo y la cooperación.

Ahora hablamos de personas, en ambos "bandos", que tienen como su único objetivo y meta la verdad y obtener resultados (pues donde se permite que interfiera la ganancia personal, siempre existen celos y fricción).

Con el fin de dar una idea clara de la opinión general de los médicos sobre la "Sugestión Terapéutica", te pedimos leer esta cita del artículo de Max Eastman ya mencionado. Dice el Dr. Eastman:

"La Ley de la Sugestión, que es uno de los grandes descubrimientos de la ciencia moderna, fue formulada por primera vez por el Dr. Liebault en París, en un libro publicado en 1866. Desde su época, el número de médicos que practican la "Sugestión Terapéutica" ha aumentado de manera constante, y hoy, ningún hospital clínico está completo si no tiene un "*sugerente*[5]" profesional.

La práctica no involucra ninguna teoría metafísica, ni el paso de fuerzas ocultas de un cerebro a otro, ningún "plano de existencia" o cuestión religiosa, ninguna fisiología poética ni la deglución de ninguna doctrina oculta. Es una de las teorías científicas más simples y geniales. Se trata de la relación entre el

---

[5] Suggestor. La persona que da la sugestión.

cerebro y los órganos corporales. Parece que nunca se ha declarado claramente que la curación de la enfermedad por sugestión no depende en absoluto de ninguna teoría acerca de la relación de la mente y la materia ... El intento de fijar una idea en la mente 'sin razonamiento' es lo que llamamos sugestión.

Esto se logra generalmente en la práctica médica al pedirle al paciente que se acueste y relaje su cuerpo y su mente, y luego se le declara vigorosamente la idea deseada.

Puede lograrse de varias maneras:

Puede decírsele al paciente que el *operador* es un *mago* y que está a punto de transferir una idea de su propia mente a la del paciente. Si el paciente le cree, es muy probable que acepte la idea.

Puede lograrse mediante gestos o conjuros que el paciente observa con temor supersticioso, siempre que se explique de antemano lo qué se supone que estos gestos producen.

Puede lograrse diciéndole al paciente que no tiene cuerpo, y sentarse con él por un rato sumidos en espiritual silencio, siempre que aquel sepa qué esperar.

Todos estos métodos, si uno cree en ellos, son buenos y prueban con éxito la ley de la sugestión.

Pero el método que se basa en una verdad segura es el método del científico. Éste razona con su paciente, despierta en él el entusiasmo moral y religioso que pueda, y a estos medios agrega con tacto los sutiles poderes sugestivos de su propia presencia y elocuencia.

Esta fuerza, junto con el poder que se revela en una persona para corregir sus propios hábitos mentales, es el mayor descubrimiento práctico de la psicología moderna ... La Sugestión Terapéutica es el uso de sugestiones para fijar en la mente ideas de salud o hábitos mentales saludables ".

En la cita anterior el Dr. Eastman expresa bien la visión científica de la Sugestión Terapéutica.

Eastman llama la atención sobre el hecho de que, si bien los *"sugerentes"* científicos reconocen el hecho de que en algunas personas los llamados fantasiosos a la superstición, la credulidad y a teorías fantásticas producirán resultados beneficiosos, la tendencia y el deseo es educar al paciente para que comprenda de forma inteligente la naturaleza del principio de curación, y su operación real.

Esto, por supuesto, debe ser el objetivo de todo verdadero "sugerente", aunque personalmente entendemos la posición de algunos practicantes que reclutan sus pacientes mayormente entre las clases ignorantes, y que simplemente los mistificarían y desconcertarían si trataran de explicarles los principios científicos de la sugestión.

Estos practicantes pueden ser excusados cuando afirman que "el fin justifica los medios", y en su posición de que, en el caso de pacientes muy ignorantes, lo mejor es *Curarle primero* y explicarle lo más que puedas *después*.

En este sentido, hay muchos médicos que, reconociendo un caso de tratamiento sugestivo en un paciente de esta clase, consideran que la mejor manera de administrar esa sugestión es por medio de agua coloreada, aromatizada y azucarada, u otro *placebo*, acompañada de repetidas sugestiones positivas de *lo que hará el medicamento para el paciente*.

Un *placebo* administrado de esta manera, media cucharadita que debe tomarse cada media hora, se convierte en la sugestión más poderosa.

En primer lugar, está la fuerte **Sugestión por Autoridad** del *médico,* y la **Sugestión por Repetición** causada por la toma frecuente de la dosis, siendo cada dosis un recordatorio de la Sugestión original.

Muchos casos curados de esta manera, no podrían ser curados por medio de la Sugestión ordinaria acompañada de una explicación científica: el paciente no lo entendería.

De la misma manera, un pequeño viaje, o una visita a algún manantial o centro de salud famoso, actúa como una sugestión importante, como todos los médicos saben.

Todas estas cosas tienen su lugar, y tienen sus usos y excusas; pero el profesional no completa su trabajo a menos que finalmente de al paciente de alta, con una serie de buenas sugestiones y un buen número de consejos sobre hábitos personales, etc., que tenderán a evitar que la dolencia vuelva a presentarse.

Ningún trabajo, o capítulo, sobre Sugestión Terapéutica estaría completo sin una consideración de las causas de las dolencias físicas susceptibles de tratamiento por sugestión.

En el capítulo siguiente consideraremos este tema.

En esta parte del trabajo nos basaremos en el conocimiento y la experiencia de algunos profesionales capaces, dentro y fuera de la profesión médica, con los que hemos estado asociados en el trabajo psicológico experimental, además de casos reales que han sido objeto de nuestra propia experiencia personal.

Evitaremos los términos técnicos en la medida de lo posible, ya que este libro no pretende que se le considere un "trabajo médico".

12. CAUSA MENTAL Y CURACIÓN.

Para comprender los principios subyacentes a la Sugestión Terapéutica, debemos considerar las causas fisiológicas de la enfermedad, o al menos la primera etapa fisiológica manifiesta de la enfermedad.

Las mejores autoridades ahora sostienen que la enfermedad es causada principalmente por el hecho de que las células no cumplen con su deber, o no se reparan.

Por supuesto, se puede aludir a que existen causas mentales detrás de esta manifestación que interfiere con las actividades o el vigor de las células.

Estamos preparados para admitirlo, pero aun así debe admitirse que, al no funcionar correctamente, las células manifiestan la primera etapa fisiológica de la enfermedad.

Este problema puede surgir de la ineficiencia o la rebelión de una sola célula, que luego extiende su contagio a cuantas la rodean; o bien a la rebelión por parte de un grupo de células. También a la negativa de varios grupos de células para coordinar y cooperar. Hay ciertas acciones entre los grupos celulares que se parecen tanto a un motín o rebelión, que es imposible evitar el uso del término figurativo al describirlos.

Cada célula individual es una vida minúscula, que tiene sus diversas funciones y actividades, tanto mental como físicamente. Las células muestran distintos grados de lo que bien podría llamarse "inteligencia". Tienen sus recuerdos y se benefician de la experiencia. Cooperan con otras células y, a menudo, aparentemente tienen una guerra civil entre ellas. Cualquier fallo por parte de las células, o grupos celulares al hacer su trabajo, da como resultado los síntomas que llamamos "enfermedad".

De acuerdo con el tamaño y la ubicación de la alteración celular, la enfermedad se vuelve local o general.

La enfermedad se cura, ya sea cuando las células rebeldes se ven obligadas a reanudar el funcionamiento normal, o bien cuando se descartan y se destruyen y se reemplazan por nuevas células normales y sanas que realizan las tareas que sus antecesores han abandonado.

Por lo tanto, cualquier método o medio que opere en la dirección de restablecer la función normal de las células o en la dirección de la estimulación, regulación o eliminación de obstáculos, tiende a producir lo que se denomina una curación.

Y hacia este fin la naturaleza dirige constantemente sus esfuerzos. *Y la naturaleza es ayudada por las actitudes mentales apropiadas, o retardada por las incorrectas.*

La fe y la expectativa confiada son ayudas maravillosas para la naturaleza en este trabajo, mientras que el miedo y la aprehensión son obstáculos y van en su detrimento.

Descubrimientos recientes han confirmado las opiniones de los pensadores de antaño que identificaron la mente en las células, con una parte de esa maravillosa región de la mente llamada *subconsciente.*

Cada célula tiene una mente en ella que le pertenece, pero las diversas "mentes" de las células tienen filamentos mentales que se conectan entre sí, y todas se conectan con toda la región subconsciente de la mente. *Por lo tanto, cualquier cosa que afecte a la mente subconsciente debe necesariamente afectar a las propias células, en diversos grados.*

A través de la mente subconsciente, y el sistema nervioso simpático, se producen muchos cambios fisiológicos importantes. Se sabe que concentrar la atención en cualquier parte del cuerpo afecta la circulación de esa parte, y todo estudiante de Sugestión Terapéutica sabe que si el paciente concentra su pensamiento en cualquier órgano junto con la idea de que ese órgano está enfermo, es muy probable que esto sea seguido por síntomas del funcionamiento imperfecto en el órgano en cuestión.

Del mismo modo, el concentrar la atención en un órgano o parte del cuerpo, junto con la idea o pensamiento de que este órgano está siendo fortalecido y estimulado para lograr un funcionamiento adecuado y normal, es muy probable que sea seguido por resultados de acuerdo con esta idea.

Tratar de explicar "por qué" esto es así, nos llevaría al ámbito de la teoría, y aquí nuestras propias opiniones probablemente entrarían en conflicto con las de otros pensadores sobre el tema. Y más importantes que cualquier teoría son los hechos conocidos en este caso – los hechos mencionados anteriormente.

Los fisiólogos interesados en la Sugestión Terapéutica tratan de alejar el tema de la región de la Ciencia Mental, y buscan encontrar su explicación en la dirección de la "circulación por atención", que mejora así las partes afectadas.

Algunos hablan, también del aumento del flujo de energía nerviosa hacia la parte afectada, debido a la atención concentrada y la expectativa.

En este sentido, el Dr. Eastman dice:

"Nuestra pregunta es: ¿pueden esas condiciones físicas del cerebro afectar la condición física del estómago?

Sabemos que la condición cerebral que acompaña a la idea de levantar la mano puede afectar la condición de los músculos de nuestro brazo, y llamamos a esto una función voluntaria.

Ahora la pregunta es ¿puede la condición cerebral que acompaña a la idea de revitalizar nuestro estómago, tener algún efecto sobre esa función involuntaria? (Los experimentos con sugestión han demostrado que en algunos casos sí puede, si se continúa lo suficiente.)

Las personas de naturaleza muy sugestiva, por ejemplo, al concentrar su mente en cierta parte del cuerpo, pueden aumentar el flujo de sangre hacia esa parte, aunque se supone que la regulación del flujo sanguíneo es totalmente involuntaria. La acción del corazón, también los movimientos de los órganos digestivos en particular, y de los órganos de eliminación, se ven casi directamente afectados en personas sugestivas por ese cambio en sus cerebros que acompaña a ciertas ideas ... La ciencia ha establecido, entonces, que la sugestión puede afectar en cierta medida a las llamadas funciones involuntarias del cuerpo, pero la extensión o limitación de estos efectos no está determinada de ninguna manera. No se puede determinar científicamente sin años de diligente experimentación y tabulación. Cualquier declaración dogmática sobre un lado u otro de esta cuestión es, por lo tanto, prematura y contraria al espíritu de la ciencia ".

En esta misma línea general, muchos escritores sobre Sugestión Terapéutica han procedido a partir de la posición fundamental de que los efectos curativos resultan del aumento de la circulación y de las corrientes nerviosas, dirigidas a las partes afectadas por la voluntad inconsciente del paciente que se despierta y se dirige por medios de las sugestiones que le han dado. De esta manera, el aparato digestivo debilitado recibe una cantidad adicional de fuerza nerviosa y un aumento de la circulación, y ambos, como admiten todos los fisiólogos, tenderán a estimular y vigorizar la parte en particular y conducirán a la reanudación del funcionamiento normal. Que la circulación sea así dirigida es incuestionable. Es un axioma de la Sugestión Terapéutica que: "*La circulación sigue la atención*", y una mayor circulación significa un aumento de material nutritivo y reparador.

Si el aumento de la circulación va acompañado de un aumento de la estimulación por las corrientes nerviosas, entonces debe observarse como resultado una mejor condición de la parte u órgano.

Si aceptamos esta explicación como la última palabra en Sugestión Terapéutica, o si la consideramos simplemente como una declaración de los efectos que resultan de causas más elevadas, debemos admitir:

- que la circulación puede ser dirigida por la atención, y,

- que el aumento de la circulación debe resultar en estimulación.

Los experimentos de los laboratorios psicológicos nos han demostrado de manera concluyente que la circulación puede incrementarse en una mano o un pie por simple sugestión. Personalmente, hemos realizado experimentos en los que, por sugestión, la sangre aumentó en una mano y disminuyó en la otra al mismo tiempo, una mano asumiendo un color rojo oscuro, mientras que la otra se ponía pálida.

Este resultado, por supuesto, surgió de la volición inconsciente del paciente, dirigida por las sugestiones dadas y aceptadas por él.

Resultados mucho más sorprendentes son comunes a todos los que experimentan en estas líneas.

Siendo así, podemos ver la fuerza del argumento de quienes afirman que, con este aumento de la circulación en la parte afectada, acompañado de un aumento de la estimulación por corrientes nerviosas dirigidas de la misma manera y al mismo tiempo, las curaciones por Sugestión Terapéutica pueden ser explicadas.

Personalmente, pensamos que la teoría o explicación anterior es simplemente una verdad a medias.

Si bien admitimos libremente que el aumento de la circulación y la fuerza nerviosa están presentes en la curación, creemos que todavía hay más en el proceso.

Al comprender la presencia de *la mente* en cada célula, cada grupo de células y cada parte del cuerpo, pensamos que la mente central actúa sobre estas "*mentes celulares*", al igual que las sugestiones del exterior actúan sobre la mente subconsciente central.

En otras palabras, *creemos que la mente central superpone a las "mentes celulares" las sugestiones dadas y aceptadas por ella y, por lo tanto, produce actividades de acuerdo con estas sugestiones.*

Para usar una ilustración torpe, supongamos que hay un cuerpo de agua inmóvil en el que el sol brilla—por lo tanto, sólo hay *un* reflejo del sol. Pero si algo mueve el cuerpo de agua de manera que una porción de él se levanta en el aire en forma de miles de gotas, veremos en cada gota el reflejo duplicado. De la misma manera, la única sugestión aceptada por la mente subconsciente se multiplica y reproduce aparentemente en cada célula del cuerpo.

De esta manera, creemos que existe una influencia mental directa sobre las células, independientemente del beneficio del aumento de la circulación y las corrientes nerviosas. De hecho, puede ser posible que el aumento de la circulación y la fuerza nerviosa se dirijan hacia la parte *debido a que las células lo exigen* debido a la actividad que se genera dentro de ellas.

En algunas formas de tratamiento mental parece que se establece un "cortocircuito" directamente entre la mente del *sugerente* y las mentes en las células. En tales casos, las sugestiones se dirigen a las partes afectadas, de una manera peculiar que se describirá en un capítulo posterior.

Algunos afirman que esto no es más que una forma velada de sugestión simple, pero hemos visto resultados obtenidos mediante este método que parecían hacer posible, o probable, la existencia de alguna conexión directa o "cortocircuito", como el que hemos descrito.

No discutiremos este punto, porque las teorías hacen poca diferencia en el trabajo práctico.

Ahora procederemos a considerar los mejores métodos para aplicar Sugestión Terapéutica.

Al aplicar estos métodos, podrás obtener resultados a partir de los cuales puedes deducir tus propias teorías o adoptar las que mejor se ajusten a los hechos del caso.

La larga experiencia nos ha hecho considerar cualquiera y todas las teorías como simples hipótesis de trabajo, para ser puestas en acción.

La teoría final está probablemente aún muy lejos.

13. SUGESTIÓN TERAPÉUTICA.

Los métodos de aplicación de la Sugestión Terapéutica son tan numerosos como sus muchos practicantes, ya que casi todos los practicantes emplean un método o métodos propios, basados en lo que ha aprendido y modificado por su propia experiencia.

Cada practicante tiene algún método favorito que generalmente es una modificación de la de su maestro o maestros, la modificación estando determinada por el resultado de su propia experiencia, su temperamento, su filosofía general de sanación y su entrenamiento anterior. *Pero el principio subyacente es el mismo.*

El practicante que ha recibido una capacitación médica regular es muy apto para moldear sus sugestiones de acuerdo con su práctica anterior, con una tendencia hacia *placebos* o preparaciones inofensivas mezcladas con sugestiones.

Dar al paciente una serie de pastillitas acompañada con la sugestión de que producirán ciertos efectos es una forma muy efectiva de Sugestión, especialmente si el paciente se ha acostumbrado a las drogas y ha sido inoculado con la creencia en los maravillosos poderes de las extrañas decocciones.

De la misma manera, un fluido saborizado, tomado a intervalos de media hora, con la sugestión de que será seguido de ciertos resultados, es un medio fuerte de Sugestión.

Algunos profesionales brindan tratamientos eléctricos acompañados de sólidas sugestiones de que se producirán ciertos cambios físicos y se obtendrán resultados.

Otros emplean manipulaciones, frotamientos y métodos similares, acompañados de una fuerte sugestión.

De hecho, el acompañamiento sugestivo puede ser, y es, empleado en beneficio de casi todas las formas de tratamiento.

El conocimiento de la potencia de la Sugestión le da al médico la clave del efecto de muchos remedios que algunos médicos usan con excelentes resultados, mientras que otros encuentran que no tienen valor.

Una medicina, *más Sugestión*, es una cosa completamente diferente de la misma medicina, *sin Sugestión*.

Es muy difícil determinar el exacto valor terapéutico de cualquier remedio, a menos que el elemento de la Sugestión en su aplicación sea cuidadosamente sopesado y considerado.

Si el practicante pertenece a cualquiera de los diversos cultos o escuelas metafísicas o de "Nuevo Pensamiento", naturalmente modelará sus sugestiones de acuerdo con sus creencias. Inculcará al paciente ciertas enseñanzas de su escuela, y si el paciente queda impresionado por su seriedad y creencia, se obtiene un excelente efecto terapéutico.

Sin embargo, muchos practicantes metafísicos se oponen vigorosamente a esta idea, pues sostienen que la curación se lleva a cabo gracias a la virtud de sus diversos dogmas, creencias y fórmulas– la prueba de ello siendo aparentemente provista por el número de curaciones obtenidas por ellos.

"Nuestras creencias, dogmas o teorías *deben* ser ciertas", dicen," si no, ¿cómo podríamos obtener estas curaciones maravillosas?"

Esto estaría muy bien, si no fuera por el hecho de que algún otro sanador, con dogmas diametralmente opuestos a los del primero, obtiene curaciones de precisamente la misma naturaleza, y en aproximadamente el mismo porcentaje.

El investigador sin prejuicios se ve obligado a creer que las curaciones resultan, no de ninguna virtud especial que reside en las diversas formas de creencias o teorías metafísicas, sino simplemente porque la fe del paciente y la atención expectante son despertadas por el profesional, y esto causa el despertar y la dirección inconscientes de su propia energía mental.

Cualquier cosa que sirva para inspirar confianza y fe en el paciente, también sirve para dirigir sus fuerzas mentales a la parte afectada provocando una influencia estimulante y la mejora correspondiente.

La fuerza de curación es inherente a la mente del paciente mismo; todo lo que puede hacer el sanador es dirigirla en forma ventajosa.

Algunas formas de curación metafísica se adaptan mejor a ciertos pacientes que otras; pero otros pacientes deben buscar formas que se adapten mejor a su temperamento, prejuicios y entrenamiento. Este hecho es conocido y aceptado por los estudiantes avanzados de Sugestión científica, aunque es discutido por los defensores de las muchas escuelas y cultos.

Es algo muy simple cuando se considera a la luz de la razón. Las escuelas a, b y c tienen dogmas, doctrinas y fórmulas diametralmente opuestas entre sí. Si una tiene razón, las otras deben estar equivocadas. Y si la curación depende de las virtudes de la creencia, la teoría o las fórmulas, entonces, de esto se deduce que sólo la escuela *verdadera* podría obtener resultados.

¿Pero cuáles son los hechos del caso?

Todos los investigadores científicos admiten *que las tres* obtendrán el mismo tipo de curaciones, en los mismos porcentajes, siempre que los profesionales estén igualmente preparados para el trabajo y sean adecuados para el temperamento de los pacientes.

Nadie que haya estudiado el tema negará que Dowie obtuvo muchas curaciones maravillosas, pero ¿quién pensaría en atribuirlas a alguna virtud especial en sus métodos o dogmas?

Fuera de su grupo de seguidores, sus afirmaciones son ridículas. *Sin embargo, el realizó las curaciones.* ¿Por qué? Porque obtuvo un efecto sugestivo debido a la creencia, la confianza y la atención expectante que despertó en sus seguidores.

Los estudiantes de Sugestión que asistieron a muchas de las reuniones de sanación de Dowie vieron un activo empleo de la Sugestión en cada proceso de curación.

Por supuesto, Dowie negó esto y atacó a quienes lo sostenían. Afirmó que fue inspirado por Dios y que Dios sanó a través de él. La sugestión, según él, era obra del diablo, y no era más que una imitación del verdadero método, al igual que los magos egipcios produjeron serpientes imitando las producidas por Moisés.

Dowie afirmó que así como la serpiente de Moisés se había tragado a las demás, Zion también se tragaría a los imitadores. ¡Pero no fue así!

Del mismo modo, los diversos líderes, maestros y practicantes de los diversos cultos, cada uno afirma que su camino es la Verdad, y que todos los demás son imitaciones básicas.

A menudo se les obliga a admitir las curaciones de los sanadores rivales, pero tienen la costumbre de decir: "Oh, bueno, puede *parecer que* curan; pero sus curaciones no durarán, solo la nuestra será permanente"; o bien, "otros pueden *curar*, pero solo nosotros *sanamos*".

En resumen, afirman tener el único artículo real, y que todos los demás son imitadores. Son como el vendedor de ropa de segunda mano de Bowery, que colocó el letrero: "No vayan a mis imitadores para que los engañen. ¡*Vengan a mí!*"

Pero gradualmente, el público está comenzando a despertar a la verdad de que el verdadero poder de curación reside dentro del propio paciente, y que *cualquier* Método que sirva para despertar este poder inherente tenderá hacia la curación.

El método que es capaz de despertar ese poder al máximo grado, es el mejor método para ese paciente en particular.

Cuando se reconozca este hecho, se verá que cada escuela y culto tiene su lugar particular, y puede llegar a ciertas personas como ninguna otra forma podría hacerlo. Reconocer este hecho debería desarmar las facciones y cultos en conflicto y hacer que se vean bien entre sí.

Tenemos necesidad de una mayor tolerancia, amplitud y caridad en los diversos cultos.

Para darte una idea de cómo algunos de los cultos metafísicos emplean Sugestiones veladas en su trabajo de curación, citaremos varios de sus "tratamientos". El estudiante, que ha captado el principio subyacente, no debería tener problemas en descubrir la semilla de la Sugestión en estos "tratamientos".

Estos "tratamientos" no son más que la cápsula, o la pastilla recubierta de azúcar, en la que se oculta el remedio. Pero recuerda siempre que **mucha gente necesita la cápsula y el recubrimiento de azúcar.** Se negarían a aceptar la Sugestión *directa*, no disimulada y sin diluir, si esta les fuese ofrecida.

El siguiente tratamiento para el *nerviosismo* es ofrecido por cierto culto:

"El Amor Divino me calienta, me alimenta, me viste y me *sana*".

El paciente es instruido a repetir esto una y otra vez, muchas veces durante el día. Esto está seguramente diseñado para producir un sentimiento de paz y tranquilidad en una persona de fuerte temperamento religioso.

Otro "tratamiento" para los pies adoloridos, utilizado por el mismo culto es el siguiente:

"Mis pies nunca pueden estar cansados ni adoloridos. Dios creó mis pies perfectos. Recorro el camino de la vida con perfecta facilidad y comodidad. Todos los obstáculos en mi camino se han desvanecido, y mis pies están bañados en un mar de amor puro".

Se instruye al paciente con los pies adoloridos a "colocarse mentalmente en actitud de comprender el poder de las palabras que pronuncia, porque la plenitud de la paz y la armonía en sus pies viene con esta comprensión. Cuanto más frecuentemente se use esta medicina espiritual, más pronto llegará la manifestación de una salud perfecta".

Sin duda, esta es una sugestión tranquilizadora y relajante.

Ten en cuenta el elemento de *repetición*.

La siguiente "*afirmación de sanación*" fue utilizada por cierto culto en sus reuniones regulares, con la congregación repitiendo las palabras después del líder:

"Con reverente reconocimiento de mi derecho de nacimiento, reclamo mi filiación con el Todopoderoso. Estoy libre de enfermedad y desórdenes. Estoy en armonía con mi Fuente. La Salud Infinita se manifiesta en mí. La Sustancia Infinita es mi provisión constante. La Vida Infinita me llena y me fortalece. La Inteligencia Infinita me ilumina y dirige. El Amor Infinito me rodea y me protege. El Poder Infinito me sostiene y me apoya. Ya no soy esclavo. Tengo la libertad de los Hijos de Dios. Con todo lo que hay en mí, me regocijo y doy gracias. Dios y los hombres son el todo en todo, ahora y por siempre ".

Se puede ver que la "afirmación" anterior, declarada lenta y solemnemente, acompañada por el ambiente religioso, fue diseñada para traer alivio mental y físico. *Pero aun así es sugestión.*

El siguiente "tratamiento" se ha utilizado para aliviar el estreñimiento y la menstruación tardía en uno de los cultos:

"Todos los canales naturales de mi cuerpo están abiertos y libres. La sustancia de mi cuerpo es buena."

El siguiente "tratamiento" para la buena salud en general es usado por uno de los cultos:

"Lo que es verdad de Dios es verdad del ser humano. Dios es el Todo, y siempre está en un estado de totalidad. Yo, el ser humano de Dios, siempre estoy completo, como el Uno-Todo. Ninguna falsa creencia me rodea o me limita. Ninguna sombra oscurece mi visión mental. Mi cuerpo es un cuerpo celestial, y mis ojos contemplan la gloria de Dios en todas las cosas visibles. Estoy bien, y tengo provisión, gracias a Dios, y nada puede hacerme pensar de otra manera".

El estudiante de la Sugestión reconoce y admite el efecto de sugestiones similares sobre aquellos cuyo temperamento los inclina hacia esta forma de tratamiento.

El hecho de la curación se entiende y se admite, mientras que la teoría también se entiende.

El Movimiento Emmanuel utiliza "tratamientos" similares, pero a diferencia de los cultos y las escuelas metafísicas, o muchos de ellos, admite libremente la naturaleza de la fuerza utilizada. Reconoce la Sugestión, en lugar de negarla. Dice, en forma práctica, "El poder curativo es inherente al paciente; la Sugestión es el método para usar ese poder; y nuestros tratamientos están entre las mejores maneras de despertar ese poder".

Otros cultos y escuelas persiguen el radical método de instruir al paciente para que *niegue absolutamente* la existencia de la enfermedad, el dolor o el trastorno. La teoría es que como Dios es bueno y todas las cosas provienen de Dios, por lo tanto, todo lo que *no* es bueno no puede venir de Dios y, por lo tanto, debe ser una falsa creencia o ilusión.

El "tratamiento" consiste en negar o repudiar la "falsa creencia", el "error" o la "afirmación" de la mente mortal.

Sin entrar en una discusión de los puntos metafísicos o teológicos mencionados, el estudiante de Sugestión ve que estas "negaciones" del problema, y las "afirmaciones" de salud e integridad, deben ejercer un poderoso efecto sugestivo sobre el paciente que cree. El miedo se elimina, tomando su lugar la esperanza. Estos tratamientos tienen un valor bien reconocido en la categoría de Sugestión, a pesar de las teorías y concepciones dogmáticas de los cultos y escuelas que los emplean.

El estudiante de Sugestión percibe, muy pronto, que todo lo que tiende a producir una actitud mental optimista y esperanzadora, en lugar de un estado mental de miedo, pesimismo y desesperación, tiene un valor terapéutico decidido en la línea de la Sugestión.

El miedo es un estado mental negativo y se reconoce como un poderoso depresor de las actividades físicas. La esperanza es muy positiva, y es un poderoso estimulante de las actividades físicas. La expectativa confiada es un estado mental que conduce a una manifestación de la condición física deseada y esperada. Cualquier sistema de *materia médica,* metafísica o religión, que es capaz de dejar entrar la luz de la esperanza, el optimismo y la expectativa confiada del bien, y que, por lo tanto, elimina la oscuridad del miedo, el pesimismo y la expectativa confiada del mal, ocupa un lugar importante en la categoría de Sugestión Terapéutica, no importa con qué nombre pueda enmascararse, o sobre qué teorías, creencias, dogmas o ideas pueda apoyarse. Su valor pragmático lo determina el: "¿Qué hace, cómo funciona, cómo pone el bien en acción?

14. TRATAMIENTOS SUGESTIVOS.

En contraste con los practicantes de Sugestión Terapéutica que dan sus sugestiones bajo las formas y métodos de los diversos cultos metafísicos, por un lado, y aquellos que dan "sugestiones veladas" en forma de *placebos*, drogas inofensivas, etc., existe por otra parte un número grande y en constante aumento de practicantes que se limitan a la práctica de la Sugestión Terapéutica, pura y simple.

Si bien los diversos métodos para aplicar la Sugestión varían de acuerdo con las opiniones respectivas del profesional, aún se encuentra una base general de aplicación subyacente en todos estos casos.

Ahora te pediremos considerar el método general de tratamiento sugestivo seguido por esta escuela de sanación.

En primer lugar, el profesional de la Sugestión Terapéutica pura y simple, no intenta "negar" la existencia de la enfermedad o trastorno. Tampoco afirma que la curación se deba a ningún poder o creencia metafísica. Por el contrario, basa su tratamiento en las leyes reconocidas de la psicología y la fisiología.

Primero se esfuerza por diagnosticar la causa del problema: no los síntomas, sino la *causa*.

Cumplido este paso, se esfuerza por ganarse la confianza del paciente mediante una conversación cuidadosa.

Luego dirige sus sugestiones de tal manera que se logre un retorno del funcionamiento normal de las células, órganos y partes del paciente.

Para lo anterior, forma la imagen mental del *individuo sano*, y se esfuerza por elevar al paciente a ese ideal. En lugar de estudiar condiciones de enfermedad, estudia condiciones de salud normal y luego trata de llevar al paciente a ese estándar mediante una línea de Sugestión adecuada.

Este proceso no es tan complejo como podría parecer al principio, ya que, como regla, la condición anormal ha sido causada por la desatención de algunas de las reglas y leyes de la vida y el pensamiento normales.

Estos malos hábitos de vida y pensamiento pueden ser corregidos mediante sugestiones firmes y repetidas en el sentido de que el paciente actuará y pensará de otra manera. En la mayoría de los casos que buscan un tratamiento sugestivo, se encontrará una condición crónica de nutrición, digestión, asimilación y eliminación imperfectas. Esta condición se manifiesta en mala circulación, digestión débil, nerviosismo, estreñimiento y un estado de salud general deteriorado. Estos casos se denominan "casos típicos" que requieren esta forma de tratamiento.

El paciente, como regla, tiene un "estómago débil", manos y pies fríos, mala circulación, nerviosismo y está más o menos estreñido. Si la paciente es mujer, también es propensa a tener problemas menstruales.

Para aliviar esta condición, el profesional dirige su sugestión directamente hacia el inicio de hábitos de vida correctos, y de este modo golpea el corazón de la causa original del problema.

Tal vez la mejor manera de explicártelo es con un resumen general del tratamiento de un "caso típico" de este tipo, por parte de un profesional en Sugestión Terapéutica:

El tratamiento comienza con un examen cuidadoso de la condición del paciente; se estudia la historia del caso, los síntomas generales, etc.

Hecho esto, el médico le dice al paciente que no debe pensar en la historia pasada ni en los síntomas, pues ha llegado el momento de tomar caminos separados, de "olvidar" los viejos problemas y dejarlos atrás.

Luego le informa al paciente que debe permitir que las sugestiones se profundicen en su mente subconsciente, para que echen raíces allí y luego se manifiesten en condiciones físicas.

Haciendo que el paciente adopte una posición de descanso y calma, comienza a darle sugestiones, en un tono firme, tranquilo pero positivo, con repetición frecuente de los puntos más vitales.

Lo siguiente dará una idea general de tal tratamiento:

"Ahora estás descansando, en silencio y con calma, con la mente abierta a la afluencia de sugestiones sólidas y útiles, que te llevarán gradual y seguramente a una condición saludable. Estas sugestiones llevarán tus células y órganos corporales a una condición normal y saludable, en la cual podrán hacer el trabajo que la Naturaleza deseaba que hicieran —y lo *harán*, — lo *harán*.

En primer lugar, haremos que tu estómago trabaje adecuadamente y digiera los alimentos que se colocan en él para nutrir el cuerpo, y que los asimile y distribuya en forma de sangre buena y rica a cada parte de tu cuerpo —a cada parte de tu cuerpo —, para que hagan el trabajo de mejorarte y de llevarte a tener una salud fuerte y vigorosa.

Has desechado todo temor, y de ahora en adelante esperarás con confianza y expectativa el regreso de tu salud. Verás cómo regresa tu apetito por alimentos nutritivos; verás cómo regresa un hambre normal y saludable a partir de este momento. Comenzarás a desear alimentos nutritivos y dicha comida será bien procesada por tus órganos digestivos. Masticarás tu comida completa y lentamente, obteniendo así cada partícula de alimento, y haciéndolo fácilmente digerible —de ahora en adelante, masticarás tu comida exhaustivamente. Tu saliva preparará tu comida para el estómago, por lo tanto, masticarás bien cada bocado de comida que comas en el futuro— cada bocado será masticado de aquí en adelante.

Así lo prepararás para la acción de los jugos gástricos que fluirán libremente en tu estómago, a partir de ahora, y que digerirán a fondo cada partícula de la comida buena y nutritiva por la cual ya estás empezando a sentir hambre.

Tu estómago es fuerte, fuerte, fuerte —es fuerte y capaz de procesar la comida buena y nutritiva que le darás en el futuro, porque sentirás hambre de esta comida.

El estómago digerirá este alimento a fondo, y su nutrición se asimilará completamente y se convertirá en sangre buena, rica y roja, que se transportará a todas las partes de tu cuerpo—a todas las partes de tu cuerpo—para que desarrolles— para que desarrolles salud y fuerza

"El cuerpo se desarrolla a partir de la nutrición obtenida de una comida buena y saludable, por la que ahora sientes hambre y que digerirás fácilmente.

A partir de hoy, comerás y digerirás como una persona normal y saludable, ya que tú *eres* esa persona normal y saludable de ahora en adelante. Aumentarás en salud y fuerza cada día, de ahora en adelante.

Beberás una cantidad suficiente de líquidos todos los días, ya que la Naturaleza requiere estos líquidos para proporcionar los diversos líquidos del sistema (la sangre, los jugos gástricos y la bilis), todo esto significa que debes aumentar tus líquidos. Aumentarás ese consumo de líquidos hasta beber casi dos cuartos de galón de agua cada veinticuatro horas: esta es la cantidad normal para el hombre o la mujer sanos, y pronto aprenderás a *querer* esta cantidad.

También comenzarás a respirar, haciendo varias aspiraciones profundas cada pocas horas. El aire proporciona oxígeno que vigoriza y purifica la sangre a medida que pasa a través de los pulmones. Verás que esta respiración profunda te hará sentir fuerte y vigoroso.

Verás que comenzarás a interesarte por la vida, y querrás caminar en el aire fresco como la Naturaleza quería que hicieras. Verás que el aumento de líquidos tenderá a restablecer el movimiento normal de los intestinos y, a partir de ahora, serás regular y natural en este respecto.

Tus nervios crecerán fuertes y te sentirás joven, vigoroso y lleno de vida.

En resumen, de ahora en adelante, comenzarás a convertirte de manera constante y segura en *un* ser *humano sano*, como el que la Naturaleza pretende que seas. Este es tu derecho de nacimiento, y ahora vas a reclamarlo como tuyo. La salud es el estado natural, y serás natural de ahora en adelante. Desecharás toda preocupación y temor, y de ahora en adelante te convertirás en una persona saludable, alegre, brillante y feliz ".

En el caso de una paciente, las sugestiones también incluyen el funcionamiento normal de los órganos propios del sexo femenino.

En caso de problemas especiales, también se dan las sugestiones adecuadas, pero en todos los casos se incluyen las sugestiones fundamentales, ya que la restauración del funcionamiento normal natural de todo el cuerpo depende de la salud perfecta, sin importar cuál sea la dolencia en especial.

Al leer el "tratamiento típico" anterior, el lector notará el hecho de que todas estas sugestiones están dirigidas hacia las condiciones *que se desean*, en lugar de dirigirse hacia la erradicación de las indeseables. Esto está de acuerdo con los principios fundamentales de la Nueva Psicología, que sostienen que las condiciones negativas son mejor erradicadas mediante el cultivo de las positivas.

La salud es positiva, la enfermedad es negativa: al acumular lo positivo, lo negativo desaparece.

La enfermedad *no es una cosa*—es meramente la negación de la salud. La enfermedad es como la oscuridad, mientras que la salud es como la luz: enciende la luz y la oscuridad habrá desaparecido.

Esta es la única gran característica distintiva de la Sugestión Terapéutica: mira hacia las condiciones saludables, en lugar de hacia las condiciones enfermas.

Al mantener tus ojos y pensamientos fijos en las condiciones positivas, tiendes a disipar las negativas.

El practicante de la Sugestión Terapéutica estudia *al ser humano sano*, no al enfermo.

Su mente está siempre llena de pensamientos de salud, y se esfuerza por establecer una imagen mental correspondiente en la mente de sus pacientes. Constantemente se niega a siquiera *hablar* enfermedad, su charla está siempre en la línea de la salud.

Es lo normal lo que lo atrae, no lo anormal. Esto en sí mismo es un gran paso adelante en la práctica de todos y cada uno de los métodos de curación y, sin duda, será la "actitud mental" de los practicantes de todas las escuelas en el futuro.

Por supuesto, es imposible dar instrucciones detalladas para el tratamiento en un libro de este tipo, ya que esto sería ajeno a su propósito general. Sin embargo, aquí te proporcionamos los fundamentos del mejor tratamiento general en la línea de Sugestión Terapéutica: puedes alterarlos, agregarlos, cambiarlos o modificarlos para cumplir con los requisitos de una variedad de casos.

El punto principal que debes recordar es que la confianza genera poder y que tus sugestiones siempre deben dirigirse según las líneas exactas del cambio físico que deseas producir.

Cuando deseas que un niño se siente, le pides que lo haga; sigue el mismo plan para "hablarle" a los órganos, células o partes del cuerpo.

En conexión con esto, lee el siguiente capítulo.

15. "EL NUEVO MÉTODO".

Además de los métodos de aplicación de Sugestión Terapéutica mencionados en los capítulos anteriores, en los que las células, órganos y partes del cuerpo se alcanzan a través de la mente subconsciente general del paciente, existe otra forma en la que las sugestiones se dirigen de inmediato a las propias células.

Este método está lejos de ser favorecido por la mayoría de las autoridades sobre el tema, y está abierto a la objeción de no ser más que una "sugestión velada" en la cual la aplicación directa aparente es una forma extravagante de despertar las actividades de las células a través del subconsciente; pero ha atraído gran atención de numerosos y serios experimentadores que han obtenido resultados muy satisfactorios a través de ella y, por lo tanto, merece una consideración respetuosa.

La teoría subyacente de este método directo de aplicación de sugestión a las células y órganos, se basa en la siguiente hipótesis general de trabajo:

"Existe la mente en las células y las partes u órganos, y dicha "mente" es capaz de tomar conciencia del deseo, la voluntad o las imágenes mentales (o como sea que lo llamemos) en la mente de la persona que da las sugestiones."

En otras palabras, las células o partes pueden ser "conscientes" del estado de ánimo del sugerente. No es necesario permitirse ninguna teoría o creencia metafísica especial con respecto a la naturaleza de estas *"mentes de las células"*, para practicar esta forma de curación. Es suficiente para el propósito contentarse con la idea pragmática de que "funciona", es decir, que la aplicación del método en cuestión tiende a despertar las células, órganos o partes a una actividad renovada y a un funcionamiento normal.

Si bien el efecto de este método de Sugestión se ve incrementado por el uso de palabras, no es necesario suponer que las células u órganos "entienden" las palabras, es probable que las palabras sirvan simplemente para intensificar el estado mental del sugerente y para permitirle concentrar su mente en su trabajo.

Pero cualquiera que sea la explicación del método o los medios por los cuales las células, órganos o partes se vuelven "conscientes" de las intenciones y los deseos del sugerente, los experimentos parecen mostrar que sí *lo hacen*, y responden a ellos en diversos grados.

Además, las células, los órganos y las partes parecen ser capaces de ser entrenados para comprender las sugestiones y responder a ellas en mayor medida.

Al renunciar a todas las teorías o "explicaciones", se puede decir que las células, órganos y partes del cuerpo *actúan como si estuvieran conscientes*. del tratamiento que se les da, y de las sugestiones que se les dirigen.

Si asumimos que existe un canal directo de comunicación entre la mente del sugerente y las células, órganos o partes; o si nos apoyamos en la idea de que el canal es realmente a través del subconsciente en general y que las sugestiones directas operan simplemente como un método sorprendente para aplicar la Sugestión a través de los canales ordinarios, el hecho es que al dar y tomar estos tratamientos se pueden obtener excelentes resultados, suponiendo, incluso condicionalmente, que las células, órganos o partes son "entidades" capaces de comprender las sugestiones y responder a ellas.

Y, cualquiera que sean los detalles de la verdadera razón del proceso, el hecho general sigue siendo que hay *mente* en las células, órganos y partes, que de algún modo es *despertada* y que responde a la influencia sugestiva.

El método de aplicación de esta forma de Sugestión es la simplicidad misma. Todo lo que se necesita es que el sugerente despierte la atención de las células y luego las trate como si fuesen entidades. Estas células o entidades orgánicas varían en el grado de "inteligencia", no solo en lo que se refiere a las diferencias entre la personalidad de sus dueños, sino también en cuanto a las diferencias en sí mismas. Las células en el hígado difieren de las células en el corazón o el estómago, por ejemplo.

Estas mentes celulares se parecen a las mentes de los niños —de hecho, niños muy pequeños. Debe hacerse algo para llamar su atención y luego para mantener su interés. Una vez hecho esto, se les debe "hablar" con autoridad y firmeza, con constantes repeticiones e insistencia. Se les debe decir qué hacer, y deben ser puestas a trabajar por medio de órdenes y demandas insistentes.

El practicante exitoso de esta forma de Sugestión debe poseer y mostrar muchas de las características del maestro de escuela exitoso en los grados inferiores.

En un trabajo anterior sobre este tema, dijimos: "La forma de llegar a la mente en las células, grupos celulares, ganglios, órganos, nervios, partes, etc., del cuerpo, es *dirigirse directamente a ellos simplemente como lo harías con una persona.* Debes pensar en la mente en la parte afectada, como una 'persona' que se está portando mal. Debes discutir, argumentar, persuadir, ordenar o 'conducir' a la 'persona' que reside en el órgano, tal como lo harías con diferentes individuos. A veces, persuadir es mucho mejor que conducir, y otras veces es necesario el método de más fuerza, más contundente, como veremos.

Puedes hablar a la mente en el órgano en voz alta, o puedes hablar mentalmente (y esta es la mejor manera de tratar a los demás). Dile a la mente celular lo que esperas de ella, exactamente lo que pretendes que haga, lo que es correcto que haga, etc. *Y obedecerá.*"

En esta declaración se encuentra la esencia de este método de aplicación de Sugestiones. El resto es simplemente una cuestión de detalle.

En esta forma de tratamiento, muchos practicantes comienzan por usar las manos para tocar ligeramente o con fuerza el órgano o parte afectada, lo que parece despertar algo parecido a la atención. Esto parece ser particularmente necesario al principio hasta que las células se "acostumbren a ti". La idea parece ser similar a la que se pone en práctica cuando tocamos a alguien en el brazo o el hombro, para atraer su atención de las muchas cosas y sonidos a su alrededor. Es como si tocáramos el órgano, diciendo: "¡Oye, tú! ¡Despierta! ¡Escúchame!" de manera firme y autoritaria. Es como el golpe del martillo en el podio del orador en el Congreso, o el toque del gong del maestro en la escuela, o el comando militar de "¡Atención!". Funciona exactamente de la misma manera, y de la misma manera se nota como la parte del órgano o las células adquieren el hábito de poner atención después de algunos tratamientos.

Personalmente, opinamos que el uso de las manos en ciertas formas de tratamiento tiene un efecto similar, y que gran parte de los detalles posteriores de estos diversos tratamientos manuales actúan en las líneas de la sugestión.

Después de haber despertado la atención de la célula, órgano o parte, el sugerente procede a "hablar con ella", utilizando fuertes sugestiones.

Citando nuestro trabajo anterior: "Una forma simple y sencilla de administrar este tratamiento es despertar la atención de la mente en la célula, órgano o parte, como se indicó anteriormente, y luego proceder a sermonearla mentalmente, llamándola por su nombre, por ejemplo: '¡Oye, estómago!' o '¡Oye, tú, Hígado!' etc. No sonrías ante este consejo, solo pruébalo y dejarás de sonreír.

Luego continúa y dile a la Mente del órgano lo que le dirías si fuera una personalidad real, una mente infantil, por ejemplo.

Pronto descubrirás cuán rápido reacciona a tus palabras la mente del órgano y actúa según tus sugestiones u órdenes. Sigue la ley de la Sugestión para dar estos tratamientos a las mentes de los órganos, es decir, recuerda las fases sugerentes de Repetición, Solicitud u Orden Autoritaria, etc. No tengas miedo, comienza a decirle a la Mente del Órgano *lo que piensas*, y te obedecerá ...

No hay formas fijas de tratamiento en este sentido. Debes adquirir el *'don'* mediante la práctica. Las palabras apropiadas se te sugerirán. Lo que debes es saber lo que quieres que se haga y luego ordenarle a la mente del órgano que haga eso; utilizando las mismas palabras que usarías para hablar con una persona real en lugar del órgano. Pronto dominarás este arte, con un poco de práctica. Aquellos que han tratado a un gran número de personas de esta manera me han dicho que la mente en los órganos y partes parece reconocer instintivamente el poder del sanador sobre ella. Del mismo modo que un caballo o un perro reconocerá a quienes están acostumbrados a manejar animales de su clase, estas mentes orgánicas reconocerán a su amo en alguien que ha practicado el arte de curar de esta manera".

Todos los que han practicado esta forma de Sanación Sugestiva, dan testimonio del hecho de que hay grandes diferencias en los grados de "inteligencia" en los diversos órganos, y también grandes diferencias en la "*naturaleza o disposición*" de los diversos órganos.

Por ejemplo, se ha determinado que el corazón es bastante "inteligente" y susceptible a sugestiones razonables, estímulos y control. El hígado, por el contrario, siempre es una entidad pesada, lenta, terca, y obstinada, que cede solo ante órdenes y dirección agudas y vigorosas.

Como una persona nos dijo una vez: "El hígado es una mula, y debe ser tratado como tal", y estamos de acuerdo perfectamente con esta afirmación. Hay tanta diferencia entre un caballo enérgico y una mula terca, como entre el corazón y el hígado. En consecuencia, el tratamiento aplicado a estas partes debe ser diferente. El uno solo necesita un poco de palmaditas y sugerencias, mientras que el otro necesita "bastón".

El estómago ocupa una posición intermedia, posiblemente la posición de un caballo de tiro. Cuando no ha sido maltratado con mucha comida y exceso de trabajo, el estómago es un órgano fiel y trabajador. Tiene la tendencia a asustarse ante las sugestiones adversas y se debilita por el miedo. Pero este método de tratamiento puede alentarlo y restablecerlo a su funcionamiento normal. Responde a la confianza, aliento y tranquilidad, y tiene el deseo de realizar las tareas que se esperan de él, si se le quita el miedo. Una cosa peculiar acerca del estómago es que parece que le gusta que lo "feliciten" o lo "adulen", que le digan que es "un estómago muy bueno" y qué puede hacer su trabajo muy bien; y cuánto confías en que funcione bien para ti; y ¡vaya! procede a cumplir con lo que le pides para justificar tus elogios y alabanzas.

Los nervios responden fácilmente a esta forma de tratamiento, a lo largo de suaves líneas de persuasión. La circulación de la sangre puede aumentar en ciertas partes, o restringirse, de esta manera. Así, la sangre puede ser distribuida por todo el cuerpo, creando un brillo agradable; o se puede alejar de una cabeza adolorida, o de una frente febril.

Los intestinos responden fácilmente a un tratamiento firme y amable, en el que se les dice que se muevan con regularidad; conviene *designar* un momento específico en el que espera que establezcan un hábito regular, *en cuyo caso, asegúrate de mantener tu cita con ellos, y de darles la oportunidad.*

Los órganos propios de las mujeres responderán fácilmente a esta forma de tratamiento. La menstruación regular a menudo se ha reestablecido mediante tratamientos de este tipo, administrado el mes anterior, y manteniéndolo todos los días hasta lograr el período regular. En este caso el fijar una fecha es un detalle importante. Las sugestiones de "*Firme, ahora, firme y fuerte*" han aliviado muchos casos de debilidad del útero. La menstruación profusa ha cedido a las órdenes de '*lentamente, tranquilamente; fácil; no con demasiado flujo*', etc.

El método considerado en este capítulo puede aplicarse ya sea siguiendo la sugestión ordinaria que una persona le da a otra; o en la línea de la Autosugestión o el auto tratamiento, en el que las sugestiones las da la propia persona directamente a las mentes de las células, órganos o partes, como si se tratara a otra persona.

Parte III
Autosugestión

16. AUTOSUGESTIÓN.

Por "Autosugestión" se entiende la aplicación de los principios de Sugestión *por uno mismo sobre uno mismo*.

En Autosugestión el individuo desempeña el doble papel de sugerente y sugerido o receptor, respectivamente. En todos los demás aspectos, es exactamente lo mismo que la Sugestión en sus fases generales. En la Autosugestión podemos encontrar la Sugestión por Impresión, la Sugestión de Inducción, la Sugestión por Asociación, que se encuentran en las fases ordinarias de la Sugestión.

En la Autosugestión se pueden observar las cinco fases de Sugestión, a saber:

Sugestión por Autoridad,

Sugestión por Asociación,

Sugestión por Hábito,

Sugestión por Repetición y;

Sugestión por Imitación.

Puede parecer extraño pensar que uno se sugiera a sí mismo "con autoridad", pero es cierto que si uno usa la autoridad de su voluntad, puede inculcar en su subconsciente las sugestiones que desee colocar allí y, por lo tanto, *cambiar completamente su carácter*, o desarrollar las cualidades que desee. De la misma manera, puede forzar asociaciones en su mente por Sugestión, y así producir el mismo efecto sobre sí que aquellos producidos por Sugestiones por Asociación externas.

Uno puede sugerir hábitos de pensamiento, acción y sentimiento sobre sí mismo, tan verdaderamente como los hábitos pueden ser inducidos por sugestiones externas.

En cuanto a la Sugestión por Repetición, esta fase de Sugestión juega un papel importante en la Autosugestión. Incluso la Sugestión por

Imitación desempeña su papel en la Autosugestión, ya que uno puede sugerirse a sí mismo que imitará a los demás; los emulará; se modelará o creará un patrón siguiendo el de ellos si así lo desea.

En definitiva, en la Autosugestión tenemos la Sugestión en todas sus muchas fases y formas, la única diferencia es que el individuo se da las sugestiones a sí mismo, en lugar de recibirlas de fuentes externas.

El estudio de la Autosugestión es realmente el estudio de la Sugestión. Aquellas autoridades en La Nueva Psicología que analizan las cosas hasta sus elementos finales, sostienen correctamente que el principio activo de toda Sugestión es en realidad una Autosugestión. Es decir, que la fuerza activa manifestada en la Sugestión, realmente es llamada o activada por el propio individuo, generalmente de manera involuntaria.

Cuando aceptamos una sugestión externa, permitimos que pase los portales de nuestra razón y juicio al taller de nuestra voluntad, para poner en movimiento la maquinaria de nuestra mente. Permitimos que nuestra razón y juicio descuiden su deber y, por lo tanto, admitan extraños indeseables en nuestro taller mental.

En la Autosugestión, según se aplica generalmente el término, seleccionamos y escogemos voluntariamente las sugestiones que deseamos impresionarnos, y agregamos a su efecto mediante la repetición y la atención.

Pero tanto en la Sugestión como en la Autosugestión, el principio empleado es precisamente el mismo. El poder está enteramente dentro de la mente de la persona, aunque puede requerir la ayuda de alguna persona externa para que lo haga efectivo.

El *Sugerente* aleja el miedo e inspira confianza y atención expectante, y luego dirige y manipula la voluntad del paciente hacia la realización de la curación física. O usa la Sugestión en una o más de sus fases, para inducir a la persona a aceptar y creer lo que dice o hace, y por lo tanto obtiene el mismo efecto que si la persona hubiese "razonado el asunto" y lo hubiese impresionado en su propia mente.

La sugestión externa es el uso por parte de otro de las herramientas y maquinaria mentales de uno; mientras que la Autosugestión es el uso de las mismas herramientas y maquinaria por uno mismo.

Es difícil trazar una línea divisoria entre el fenómeno de la Sugestión y el de la Autosugestión: se mezclan entre sí en muchos grados sutiles. Por ejemplo, uno puede recibir una impresión desde el exterior —una impresión que es el efecto de una sugestión externa— y, al ser impresionado por ella, puede pensar en ello, pensar y sentir al respecto, de modo que la idea tome firme control.

Hasta este punto es Sugestión en su fase general.

Pero luego se repite la sugestión a sí mismo, tanto íntimamente como en la conversación con otros, hasta que deja una impresión mucho más profunda que la causada por la impresión original.

Este efecto secundario es la Autosugestión, por supuesto.

Hay otra forma de Autosugestión que es ignorada por muchas de las autoridades. Nos referimos a los casos de Auto Sugestiones involuntarias: casos en los que la persona imprime sugestiones sobre sí misma sin la intención de hacerlo.

Podemos ilustrar esta última fase mencionada con el relato del hombre que cuenta su "historia de pesca" tan a menudo que llega a creérsela él mismo. Aunque la historia puede haber tenido poca base, de hecho, su repetición constante y ferviente con la intención de impresionarla sobre los demás, actúa como una Autosugestión repetida que se impacta en su mente subconsciente hasta que se convierte en un elemento fijo allí.

Todos los que lean estas palabras podrán recordar casos de este tipo en su propia experiencia.

La forma mencionada de Autosugestión encuentra una ilustración en el caso de muchas personas cuya negocio o profesión las encuentra comprometidas en la explotación de ciertos sofismas o verdades a medias, que ellos al principio saben que son tales.

Sin embargo, con el tiempo, se convierten en verdades reales para ellas por medio de la Autosugestión y caen víctimas de su propio poder sugestivo.

Hay muchos casos de charlatanes e impostores religiosos que finalmente caen víctimas de sus propias sugestiones, llegando a creerse en realidad los cuentos que inventaron para impresionar a otros.

Conocemos personalmente un caso del propietario de una célebre medicina que pretendía curar el nerviosismo, y quien escribió sus propios alarmantes anuncios en los que afirmaba que prácticamente todo era síntoma de "nerviosismo". Finalmente, terminó por caer víctima de su propia imaginación sugestiva y se convirtió en hipocondríaco, lleno del temor a todo tipo de "síntomas", poseído por la idea de que era manojo de nervios.

Creemos que un célebre impostor religioso -ya fallecido-, cayó víctima de sus propias pretensiones de inspiración y poder divinos, y esto le desequilibró mentalmente. De hecho, es un hecho común y bien conocido en la historia de las "nuevas religiones" que muchos de los líderes de tales movimientos se desequilibran mentalmente por la constante repetición de sus relatos de "inspiración", "guía divina especial" y todo eso.

Los escritores de temas especiales a menudo tienen que luchar mucho para evitar ser superados por las Auto Sugestiones facilitadas por sus constantes afirmaciones de ciertas cosas especiales.

Los expertos en locura frecuentemente se vuelven locos.

Los que escriben sobre ciertas enfermedades a menudo se ven afectados por sus propias afirmaciones repetidas constantemente.

Los vendedores se impresionan con las historias que cuentan sobre los artículos que venden, al punto de que, si cambian de empleador, las antiguas Autosugestiones son muy difíciles de superar.

El fanatismo y la intolerancia surgen a menudo de la afirmación o declaración constante a otras personas de ciertas creencias, lo cual actúa como Autosugestión.

En resumen, lo que nos repetimos constantemente, y lo repetimos a otros, tiende a convertirse en una impresión fija en nuestra mente, difícil de erradicar y, a menudo, nos influye en gran medida.

Siendo este el caso, deberíamos evitar influirnos con cosas indeseables, y siempre deberíamos tratar de impresionarnos con cualidades deseables.

Tenemos el poder de la elección inteligente en este asunto: no hay excusa para no usarlo correctamente.

Muchas de las curaciones reivindicadas por Sugestión en sus muchas formas, se deben realmente a la Autosugestión del paciente, pura y simple. Por supuesto, *todas* las curaciones mentales tienen el elemento de Autosugestión ampliamente evidenciado, pero en algunos casos podemos decir que la Autosugestión hace *todo* el trabajo.

Por ejemplo, con frecuencia escuchamos los relatos de los sanadores mentales, sobre casos en que los pacientes les escribieron para que les dieran "tratamiento en ausencia o remoto", y obtuvieron resultados incluso antes de que el sanador hubiese recibido la carta solicitando el tratamiento.

Dejando completamente fuera de la cuestión toda discusión acerca de las virtudes, los méritos y la explicación de los "tratamientos en ausencia", se debe admitir que en los casos mencionados *no hubo absolutamente ningún "tratamiento en ausencia"*, y que todo el beneficio surgió de la Autosugestión del paciente.

En un caso, el sanador dice que la carta original del paciente estaba mal dirigida y se desvió, y que lo primero que el sanador supo del asunto fue cuando recibió una segunda carta, un mes más tarde, en la que el paciente declaró el maravilloso efecto de los "tratamientos de ese mes" que ella suponía que estaba recibiendo.

La curación no fue imaginaria, ya que la investigación reveló que los médicos sostenían que existía una afección crónica incurable, y que la paciente había recuperado perfectamente la salud.

Por supuesto, hemos oído hablar de "explicaciones" a estas curaciones, en el sentido de que de alguna manera la "mente subjetiva" del paciente buscó la "mente subjetiva" del sanador en el éter, y allí recibió el "tratamiento".

Esto puede ser verdad, no podemos probar que no lo sea; pero la Autosugestión ofrece una explicación mucho más simple.

Si la paciente hubiese depositado su fe en los huesos de Santa Ana u otro objeto, en la misma medida en que creía en el sanador, habría recibido el mismo resultado: toda la experiencia y la investigación lo demuestran. Estos casos llevan todas las evidencias de ser casos de Autosugestión.

A este respecto, podemos agregar que el recital de estos casos, y la "reunión de mentes subjetivas" en el éter, ha perjudicado el negocio de ciertos "sanadores en ausencia", ya que sus pacientes, al pensar que pueden recibir este "tratamiento de mente subjetiva" sin pagar por él de la manera habitual, ya no le escriben a los sanadores, sino que simplemente hacen la "conexión en el éter" y reciben el tratamiento (?) de forma gratuita y sin el conocimiento de los sanadores. Sin duda, este es un caso de "intervención" psíquica no autorizada ¡que los sanadores deberían denunciar a las autoridades...!

El estudiante de Autosugestión, al hacer un análisis profundo de todas estas cosas maravillosas, comprende que son muy simples y que descansan sobre la base firme de la psicología pura.

Y en la misma categoría se pueden ubicar los casos extraños que el público burlón descartaría como "solo imaginación".

La Autosugestión es una fuerza potente, que causa un gran daño a las personas que la usan mal o que la usan de manera ignorante; pero que es igualmente poderosa para el bien cuando se emplea de manera correcta e inteligente. Es un instrumento o herramienta mental muy valiosa, con la que podemos hacer de nosotros lo que queremos.

Está muy cerca del corazón de la Nueva Psicología.

17. AUTOIMPRESIÓN.

Como hemos dicho en el capítulo anterior, la persona que practica la Autosugestión es tanto la emisora de la sugestión, o *sugerente*, como la receptora de la sugestión o "sugestionada".

Desempeña una doble función, a saber,

(1) la parte del maestro o enseñante; y

(2) la parte del alumno o pupilo.

La Autosugestión podría llamarse "Autoimpresión", ya que el último término describe correctamente el proceso real. El "Yo" objetivo impresiona al "Yo" subjetivo. La región consciente de la mente impresiona la subconsciente. Esto es todo en pocas palabras. El proceso real es un caso de "*Me lo digo a mí mismo, yo mismo.*"[6]

Es asombroso cómo se puede entrenar a la mente subconsciente para que trabaje para uno por medio de un curso científico de Autosugestión o autoimpresión. Como hemos dicho en un trabajo anterior sobre el tema:

"Uno puede encargar a su mente subconsciente la tarea de despertarlo a cierta hora de la mañana, y uno se despierta. O tal vez le pida a su mente que recuerde algo determinado, y lo recuerda. Esta forma de dominio propio puede llevarse muy lejos, y uno puede pedirle a su mente subconsciente que recopile datos sobre ciertos temas, desde su heterogénea colección de trozos sueltos de conocimiento; y luego pedirle que combine la información en una forma sistemática, y la mente lo hará, y la información combinada estará disponible cuando sea necesario.

Hago esto casi inconscientemente, cuando comienzo a escribir un libro, — y hecho tras hecho, ilustración tras ilustración, aparecen en el momento y lugar adecuados.

El campo de la autoimpresión o Autosugestión, y el funcionamiento de la mente subconsciente, han sido apenas explorados sus límites externos: aquí hay un gran campo en espera de algunos de ustedes ".

---

[6] Sez I to meself, sez I. El autor usa una simpática frase coloquial imitando cierto acento sureño, cuya traducción literal es la que dimos, aunque pierde su "gracia" en la traducción.

La Autosugestión puede considerarse en varias fases, aunque el principio subyacente es el mismo. En primer lugar cada persona ha llenado su mente con una serie de Auto Sugestiones involuntarias derivadas de la repetición de sugestiones e impresiones recibidas originalmente de fuentes externas. Estas Auto Sugestiones se albergan en forma de prejuicios a favor y en contra de personas o cosas; ciertas creencias fijas que no se basan en la razón o en el juicio o en experiencias reales; ciertas asociaciones arbitrarias; y otros resultados de impresiones anteriores que se han fijado firmemente por repetición a lo largo de las líneas de Autosugestión.

Otra fase es aquella en la que se da la Autosugestión y se acepta tácitamente o por implicación, como cuando uno toma una cierta medicina creyendo que producirá un cierto resultado, en el cual la sugestión se transforma en Autosugestión por la creencia de quien la toma. Por ejemplo, si tu amigo te da un polvo que dice que tenderá a mejorar la digestión, y tú le crees, entonces cuando tomes el polvo tendrás la siguiente idea:

"Este polvo le caerá bien a mi estómago y me hará digerir mi cena perfectamente". Aunque la idea no se pronuncie en voz alta, sin embargo, habrá una Autosugestión verbal.

De la misma manera, puede darse una Autosugestión adversa implícita con respecto al aire fresco o ciertos alimentos, y el resultado es que se experimenta un efecto negativo. Esta forma de Autosugestión consiste en una *firme creencia* de tu parte en el sentido de que ciertas cosas producirán ciertos resultados, o que ciertas cosas poseen ciertas cualidades, etc.

Cada uno tiene una buena cantidad de Autosugestiones de este tipo, que ejercen un efecto mayor o menor sobre su carácter y sus acciones. Llevadas al extremo, producen fanatismo, intolerancia, ideas fijas o incluso monomanía. Si uno no las tiene, puede ser más o menos voluble, inestable, cambiante e incierto. Mucho de lo que hemos llamado "principios" de conducta se basan en este tipo de Autosugestión intensificada por el hábito.

La moraleja es obvia.

El tercer tipo o clase de Autosugestión es aquella forma de impresión impresa deliberada y voluntariamente por la mente subconsciente en la misma mente subconsciente, con y para un propósito definido particular.

Por ejemplo, deseas tomar un tren mañana por la mañana poco después de las cuatro. Cargas deliberadamente tu mente subconsciente con la idea de "despertarme a las cuatro en punto para tomar el tren", y descubres que te despertarás ese momento. Lo "tienes en mente" y despiertas. La mente subconsciente se puede configurar como la alarma de un reloj.

De igual forma la mente subconsciente de una madre la hará despertar ante el menor ruido de su bebé, mientras que ruidos mucho más fuertes no la despertarán.

O tienes un compromiso a las tres en punto, y cargas tu mente con eso, y poco antes de la hora verás que se manifiesta una cierta inquietud mental, y justo antes de la hora el pensamiento prorrumpirá en el campo consciente de tu mente: "El compromiso con Smith es a las tres en punto."

Esta fase de Sugestión es la que se emplea activamente en los procesos de Formación de Carácter que son una parte tan importante en el trabajo práctico de La Nueva Psicología. La Nueva Psicología enseña que uno puede fortalecer cualquier conjunto de células cerebrales, llamadas neuronas, mediante las líneas apropiadas de Autosugestión y la acción resultante, lo cual desarrollará ciertas tendencias y características deseadas. También se pueden inhibir o neutralizar ciertos rasgos o características objetables al desarrollar deliberadamente las cualidades directamente opuestas a aquellas de las que uno desea deshacerse. No hay nada oculto o místico en este proceso, se basa en el conocimiento científico de la mente y el cerebro.

Esta última fase mencionada de la Autosugestión juega un papel importante en los métodos y prácticas de los muchos cultos y escuelas metafísicas, incluidos los de cultos religiosos que utilizan métodos similares. Las diversas "afirmaciones", "negaciones", "declaraciones", etc., utilizadas por estos cultos y escuelas son solo formas de Autosugestión, y sus resultados se obtienen a lo largo de sus líneas.

Estas organizaciones y escuelas han realizado un gran trabajo en el sentido de producir mejores condiciones mentales, físicas y morales. Muchas personas han salido de condiciones físicas debilitadas y anormales; muchos han cambiado sus estados mentales y el carácter de sus pensamientos; muchos de los caracteres morales de las personas han mejorado gracias a estos métodos.

A pesar de las declaraciones extravagantes y los reclamos de algunos de los cultos, han logrado mucho bien. Han sustituido el pesimismo por el optimismo; el miedo por la esperanza; la desesperación por el valor. Pero no es necesario aceptar ninguna de sus teorías, dogmas o credos, para participar de los beneficios de los "tratamientos", pues una comprensión de la Autosugestión, y una práctica inteligente de sus métodos permitirá que cualquiera pueda asegurarse estos resultados beneficiosos a lo largo de líneas puramente científicas.

El único punto débil posible de los diversos métodos para aplicar la Autosugestión, y uno que no ha escapado a la atención de los críticos, es que, a menos que la persona entienda los principios subyacentes, existe una tendencia hacia "contentarse" con la mera "declaración de labios" de la autosugestión, descuidando el manifestarlo o ponerlo en actividad y el "hacer" o crear la cualidad o el poder deseados.

En los siguientes capítulos nos esforzaremos por señalar un plan mejorado para aplicar la Autosugestión, en el que se emplea una actividad física correlacionada en relación con el uso de la Autosugestión adecuada.

Para aquellos que rechazan la vaga concepción metafísica de los cultos, y quienes, deseando obtener los beneficios de los métodos de Autosugestión, exigen una explicación a lo largo de líneas puramente materiales, diríamos que un pequeño examen en las enseñanzas de la ciencia relacionada con la naturaleza y la función del cerebro explicará el principio de funcionamiento de Autosugestión, a lo largo de líneas puramente físicas y sin recurrir a la teoría metafísica.

La ciencia afirma que el cerebro está compuesto de una sustancia llamada "plasma", que consiste en una enorme cantidad de células diminutas que se utilizan en la manifestación del pensamiento. Estas células cerebrales o neuronas se estiman en un número de 500,000,000 a 2,000,000,000, de acuerdo con la actividad mental del individuo. Siempre hay una gran cantidad de neuronas de reserva que no se utilizan en cada cerebro. Se estima que aún en el caso del cerebro más activo, siempre hay varios millones de neuronas de reserva en cualquier momento.

La ciencia también nos dice que el cerebro produce neuronas adicionales para satisfacer un incremento de la demanda.

El desarrollo del cerebro consiste en el desarrollo y crecimiento de neuronas en cualquier región especial del cerebro, ya que el cerebro consta de varios centros y localidades, en los que se manifiestan las diversas facultades, cualidades o funciones mentales. Al desarrollar las neuronas en cualquier región en particular, la cualidad, la actividad o la facultad que tiene esa región para su desenvolvimiento se incrementa en gran medida y se vuelve más efectiva y poderosa. Es un hecho científico plenamente demostrado que el ser humano puede "rehacerse" mentalmente, si dedica el mismo grado de atención, paciencia y trabajo al tema que dedicaría en el caso de un desarrollo deseado de alguna parte del cuerpo físico, por ejemplo, de algún músculo o extremidad.

Y los procesos son casi idénticos en el caso de las células musculares y cerebrales: uso, ejercicio y práctica en la línea de Autosugestión y sus actividades correlacionadas.

18. MÉTODOS AUTOSUGESTIVOS.

La mayoría de los escritores y profesores de Autosugestión se limitan a métodos similares a los de los cultos y escuelas metafísicas, en la medida en que sus métodos consisten casi en su totalidad en ciertas "afirmaciones", "declaraciones" o autosugestiones más o menos bien seleccionadas, que se espera que la persona se repita a sí misma, con la idea de impresionar de esa manera la idea de las palabras sobre su mente subconsciente.

Esto, por supuesto, es una parte importante del verdadero método de Autosugestión, pero hay otras características que deben incluirse para obtener los mejores resultados, pues existe el peligro de volverse mecánico en las declaraciones automáticas de "Yo soy *esto*" o "Yo soy *eso*" de los métodos afirmativos.

Existe la tendencia al hábito mental de tomar las afirmaciones o declaraciones y continuar su repetición a lo largo de líneas automáticas, similar a las repeticiones sin sentido del loro, o las repeticiones mecánicas del fonógrafo. De esta manera, las afirmaciones no logran llevar su fuerza dinámica a la mente subconsciente y, en consecuencia, las impresiones dejan de hacerse de manera clara y marcada.

El proceso, al convertirse en mero hábito, es como el fenómeno de la mente que se niega a ser impresionada por un ruido o sonido continuo, mientras permanece alerta ante cualquier variación del mismo.

Las afirmaciones deben hacerse de manera que atraigan la atención y el interés, y también deben ir acompañadas de acciones correlacionadas, para que sean completamente efectivas en el trabajo de formación del carácter.

Debe haber un "ver" y un "hacer", lo mismo que un "decir". Las mejores impresiones son hechas

(1) Diciendo;

(2) Viendo; y

(3) Actuando y haciendo.

Consideremos este triple método.

En primer lugar, siempre hemos sostenido que hay una manera mucho mejor de *decir*, o pronunciar la afirmación o la autosugestión, que la familiar "Yo soy *esto*, o *aquello*".

Hemos visto que cuanto más se acerque uno a desempeñar perfectamente el doble rol de "sugerente" y "sugerido", mejor será el resultado, más clara será la impresión en la mente subconsciente. En consecuencia, uno debe esforzarse por "hablar consigo mismo", como si estuviese hablando con otra persona; y debe esforzarse por darse sus sugestiones a sí mismo exactamente como si estuviese sugiriéndolas a otra persona.

Cualquiera que sea el detalle de la operación psíquica, el hecho es que, al hacerlo así, podrás obtener y registrar una impresión mucho más clara, profunda y duradera que con la forma de afirmación "Yo soy esto o aquello".

De hecho, creemos que la idea de la *afirmación* también puede descartarse en el trabajo práctico de la Autosugestión, y que el "Yo" de la persona debería realmente *Sugerir* al "mí" de sí mismo.[7]

Debe ser sugestión, en lugar de *afirmación*.

Al hacerte estas autosugestiones, siempre debes dirigirte (al dar las sugestiones) *como si estuvieras hablando con una tercera persona*. En lugar de decir "Soy valiente y audaz", deberías sugerirte lo siguiente:

"John Smith, (aquí usa tu propio nombre, por supuesto), John Smith eres valiente y audaz; no temes a nada. Todos los días estás aumentando tu valor y tu intrepidez, y te estás haciendo más fuerte, más fuerte, más fuerte, etc. "

¿Entiendes la idea? Prueba ambos métodos ahora, deteniendo tu lectura con este propósito. Di el más fuerte "Yo soy" que puedas, y luego prueba el efecto de la sugestión más fuerte de "Tú eres" dirigido a tu subconsciente. Imagina que estás sugiriendo a otra persona a la que tienes muchas ganas de edificar y fortalecer. Veras un nuevo campo de la Autosugestión que se abre ante ti.

Se requiere un poco de habilidad, pero algunos ensayos te mostrarán el valor de este método mejorado. Habla con "John Smith" como si fuese un individuo completamente diferente. Dile lo que deseas que haga, en

---

[7] The "I" suggesting to the "Me".

qué deseas que se convierta, y cómo esperas que actúe. Te sorprenderás al ver cuán obediente será esta mente subconsciente.

La siguiente ilustración, tomada de uno de nuestros trabajos anteriores, te dará la idea de un tratamiento de "ejemplo" mediante la Autosugestión:

"Supongamos que deseas cultivar la intrepidez, en lugar de la idea de miedo que tanto te ha molestado ... deseas utilizar Autosugestión. La forma antigua, recuerdas, era decirte a ti mismo "Soy intrépido, etc." La nueva forma de tratarse a sí mismo es imaginar que estás dando un tratamiento sugestivo a otra persona para ese problema. Siéntate y *date* un tratamiento regular *a ti mismo*, imaginando que tú, el individuo, estás dando un tratamiento al "Yo" o la personalidad, –la Mente Central dando un tratamiento a la parte tuya que es tu John Smith, tu personalidad. ¿Lo ves? El individuo (ese *eres tú*) le dice a la personalidad de 'John Smith' (tu yo subconsciente):

'Vamos, John Smith, debes prepararte y hacerlo mejor. ¡Eres intrépido, intrépido, intrépido! ¡Te digo que eres intrépido! ¡Eres valiente, tienes coraje, eres audaz! ¡No temes a nada! ¡Eres confiado y autosuficiente! Estás lleno de poder mental positivo y fuerte, y lo vas a manifestar, ¡vas a ser más y más positivo cada día! Eres positivo a partir de este instante, ¿me escuchas? Positivo en este mismo instante, te lo digo; ¡positivo en *este mismo instante!* Eres positivo, audaz, confiado y autosuficiente en este momento, y crecerás más y más cada día. Recuerda que eres positivo, positivo, positivo: intrépido, intrépido, intrépido, etc., etc.

Verás que con este plan podrás verter las sugestiones positivas en la mente subconsciente receptiva, y que tu parte de 'John Smith' aceptará estas impresiones como si hubiese dos personas en lugar de una."

Esto no es ni infantil ni un simple juego, es un proceso basado en los principios psicológicos más sólidos. Te sorprenderás al descubrir la facilidad con la que puedes darte *órdenes* siguiendo este plan por un tiempo.

En el siguiente capítulo, te daremos algunas Autosugestiones para casos específicos, que se utilizarán en las líneas anteriores. Adquiere la habilidad de *sugerirte*, y se te abrirán grandes posibilidades de superación personal.

****

El segundo paso en el método mejorado de Autosugestión, consiste en lo que se ha llamado "Visualización", que consiste en formar la imagen mental de ti mismo como poseedor de las cualidades que deseas desarrollar.

Entre más clara sea la imagen mental que puedas hacer de ti mismo, como deseas ser, más profunda y clara será impresión que cause la Autosugestión que la acompaña.

La explicación de esto radica en el hecho de que los *ideales tienden a materializarse objetivamente.*

Es un hecho psicológico que tendemos a crecer hacia nuestros ideales. Un ideal es un patrón mental sobre el cual se modela nuestro carácter, acciones y vida en general. Muchos han alcanzado el éxito en la vida por su fiel adhesión a algún gran ideal sostenido firmemente en su mente. Lo que llena nuestro ojo mental es aquello hacia lo que nos movemos. Esto se reconoce en todas las enseñanzas morales y en la religión, aunque no se comprende el principio psicológico.

A los jóvenes se les enseña a tomar un gran ejemplo como ideal: una gran figura en la historia religiosa o secular. Al cristiano se le enseña a modelar su vida sobre ese gran ideal del carácter del fundador de su fe. Al niño católico también se le enseña a considerar las vidas de los santos y los padres devotos de la iglesia. Es así en todas las religiones, y constituye uno de los grandes incentivos de la vida religiosa. Nuestros niños de escuela son dirigidos a las vidas de Washington, Lincoln y otros patriotas. El modelo de la vida privada de la reina Victoria inspiró la vida social inglesa durante más de medio siglo, y su efecto aún persiste. Los suizos se han inspirado en el ideal de William Tell. El ideal nacional japonés actúa en la dirección de una inspiración positiva para los jóvenes de esa tierra.

Las naciones, al igual que los individuos, se inclinan hacia sus ideales. Y esta es la "razón" de nuestro consejo de que te idealices, en una imagen mental visualizada de ti mismo *como deseas ser*. Aférrate firmemente a tu ideal y crecerás como tal: la manifestación material sigue a la idealización mental.

La tercera fase de este método de Autosugestión consiste en "representar" la parte en la que deseas perfeccionarte. De este modo, no solo obtienes el beneficio de la práctica y la sugestión repetitiva, como si fuese un ensayo, sino que también hay una ley psicológica involucrada en esta fase:

Así como el pensamiento tiende a tomar forma en la acción, la acción tiende a reaccionar sobre el pensamiento.

Citemos algunas autoridades sobre este tema. El profesor Halleck dice:

"Al restringir la expresión de una emoción, con frecuencia podemos estrangularla; al inducir la expresión de una emoción a menudo podemos causar su emoción aliada".

El Profesor William James dice:

"Niégate a expresar una pasión, y esta morirá. Cuenta hasta diez antes de descargar tu ira, y la ocasión parecerá ridícula. Silbar para mantener el valor no es un simple decir. Por otro lado, siéntate todo el día en una postura abatida, suspira y responde a todo con voz triste, y tu melancolía perdurará.

No existe un precepto más valioso en la educación moral que este, como todos los que hemos experimentado sabemos: si deseamos conquistar tendencias emocionales indeseables en nosotros mismos, debemos asiduamente, y, en primer lugar, fríamente, ejecutar *los movimientos externos* de esas disposiciones contrarias que deseamos cultivar. Alisa la frente, ilumina los ojos, contrae el aspecto dorsal en lugar del ventral en tu cuerpo, habla con un tono más fuerte, da cumplidos y tu corazón debería estar realmente frígido si no se descongela gradualmente ".

La siguiente cita de un artículo reciente del Dr. Woods Hutchinson arroja luz sobre esta cuestión de la reacción de los estados físicos ante las condiciones mentales, los estados de ánimo y el carácter:

"Hasta qué punto las contracciones musculares condicionan las emociones, como lo sugirió el profesor James, puede probarse con un pequeño y pintoresco experimento sobre un grupo de los músculos voluntarios más pequeños del cuerpo, los que mueven el globo ocular.

Elije un momento en el que estés sentado tranquilamente en tu habitación, libre de todos los pensamientos e influencias perturbadores.

Luego levántate y, asumiendo una posición relajada, levanta los ojos y mantenlos en esa posición durante treinta segundos. Instantánea e involuntariamente, serás consciente de una tendencia hacia ideas y pensamientos reverenciales, devocionales y contemplativos.

Luego, gira los ojos hacia los lados, mirando directamente hacia la derecha o hacia la izquierda, a través de los párpados semicerrados. Dentro de treinta segundos, imágenes de sospecha, inquietud o disgusto se levantarán inesperadamente en tu mente.

Luego gira los ojos hacia un lado y levemente hacia abajo, y serán propensas a surgir de forma espontánea sugestiones de celos o coquetería.

Dirige tu mirada hacia abajo, hacia el piso, y es probable que tengas un ataque de ensueño o de abstracción".

Bain dice:

"La mayoría de nuestras emociones están tan estrechamente relacionadas con su expresión que casi no existen si el cuerpo permanece pasivo."

Maudsley dice:

"La acción muscular específica no es simplemente un exponente de la pasión, sino una parte esencial de ella. Si intentamos mientras las características están fijas expresando una pasión, llevar la mente a una diferente, veremos que es imposible hacerlo ".

En vista de los hechos anteriores, ¿no ves por qué es importante que se agregue la *acción al* "decir" y al "visualizar" en la Autosugestión?

No pierdas la oportunidad de representar la parte en la cual deseas crecer y desarrollarte.

Manifiesta en acción, con la mayor frecuencia posible, las cualidades que deseas hacer propias y en las que deseas desarrollarte.

¡Ejercicio, ejercicio, ejercicio; práctica, práctica, práctica; ensayo, ensayo, ensayo!

Deja que tu pensamiento se manifieste y tome forma en acción, ya que no solo desarrollas el pensamiento y la idea al hacerlo, sino que también obtendrás la ventaja de la reacción del estado físico sobre el mental. Si caminas por la calle con los puños cerrados, pronto comenzarás a sentirte enfadado y combativo. Si frunces el ceño, pronto experimentarás un sentimiento de malestar e irritabilidad, y lo manifestarás hacia los que te rodean. El uso de una sonrisa hace que venga la "sensación de sonrisa". Se trata siempre de "acción y reacción", entre lo físico y lo mental. Aprovecha esta ley de la vida y hazla que cuente en tu trabajo de Autosugestión.

En los consejos que daremos en los dos capítulos siguientes, asegúrate de recordar que la *acción* y la visualización siempre deben acompañar las sugestiones verbales que se te recomiendan.

No te contentes con sugerirte las cualidades que deseas desarrollar, sino también visualízalas como un ideal y finalmente *actúalas* en la vida real tan a menudo como sea posible.

 Cultiva las características físicas que acompañan las cualidades mentales que deseas desarrollar o adquirir. Al representar las cualidades en privado, comprobarás cuáles son estas características físicas, y luego las practicarás hasta que las hagas tuyas y luego adquiere el hábito de manifestarlas permanentemente. Te sorprenderás del beneficio de esta acción refleja, o reacción de lo físico sobre lo mental.

Este punto es a menudo pasado por alto por los profesores de Autosugestión, pero es el más importante. Confiamos en que le darás la consideración que merece.

19. EDIFICACIÓN DEL CARÁCTER.

Por "carácter" nos referimos a las cualidades y atributos personales de un hombre o una mujer. Es significativo que la palabra griega de la cual surgió la palabra signifique una impresión como la de un sello. El carácter es realmente el resultado de impresiones de algún tipo recibidas por la mente o el cerebro de la persona. El carácter de una persona es el resultado de las diversas impresiones que se le han hecho. El carácter se puede moldear, cambiar, se le puede dar forma mediante la autosugestión siguiendo las líneas mencionadas en el capítulo anterior: haciéndose la autosugestión; visualizando las imágenes mentales; y actuando la parte.

En la formación del carácter, lo primero es hacer un balance mental de uno mismo, a fin de determinar qué rasgos deben inhibirse, reprimirse o restringirse y cuáles deben desarrollarse.

Todos conocen sus puntos fuertes y débiles, pero pocos carecen de la honestidad de confesarlos.

Entra en confesión contigo mismo y haz una lista de los rasgos que deben restringirse y los que deben desarrollarse. Luego procede a desarrollar los deseables por el triple método; y a frenar los indeseables desarrollando sus opuestos.

Consideremos algunas de estas cualidades mentales, o características, para obtener alguna luz sobre el funcionamiento práctico del método.

1. *Continuidad*. Esta facultad o cualidad es la que regula el grado de aplicación paciente y persistente a la tarea que tenemos al frente. Es la facultad del "Aférrate-a-ello y sigue-haciéndolo"[8], muy deficiente en muchas personas. Su cultivo es posible por la siguiente autosugestión, acompañada de las imágenes mentales apropiadas, y la acción apropiada.

Autosugestión:

"John Smith, estás desarrollando *Continuidad*; estás aprendiendo a aplicarte de manera fija y firme a la tarea que tienes ante ti; estás creciendo en tu capacidad de concentrarte firmemente en una cosa hasta

---

[8] "Stick-to-it-ive"

que completes la tarea; estás creciendo en tu capacidad de prestar toda tu atención a la cosa que tienes ante ti, hasta que se termine; estás aprendiendo a mantener un hilo de pensamiento hasta que lo hayas agotado; te resulta más fácil hacer esto y más fácil evitar el dispersar tus energías mentales, es más fácil cada día. Estás adquiriendo un propósito fijo, y una fuerte concentración. Tu continuidad se está fortaleciendo. Estás desarrollando los centros cerebrales que manifiestan Continuidad", etc., etc.

Acompaña esto con la imagen mental de ti mismo practicando concentración y persistencia, atención y aplicación.

Crea el ideal de ti mismo como poseedor y manifestante de esta cualidad en un alto grado.

Luego, procura representar la parte lo más posible. Practica con las cosas que tienes ante ti y aprende a manifestar continuidad en tu vida cotidiana, sin permitir que ninguna oportunidad se te escape.

En caso de que desees restringir la facultad, si la posees en un grado demasiado fuerte, invierte el proceso y modela tu método para desarrollar la cualidad opuesta: amor por la variedad, por la diversidad, etc.

2. *Combatividad.* Esta es la facultad de resistencia, oposición, etc. Algunos la tienen en exceso, otros tienen deficiencia. Para desarrollarla, usa la siguiente autosugestión:

"John Smith, estás aprendiendo a defender tus derechos; estás desarrollando el poder de la resistencia legítima; te estás volviendo más animado y valiente cada día; estás creciendo en valor moral; te apegas a los que crees que son tus deberes legítimos; te enfrentas a la opresión; estás desarrollando la facultad de autodefensa; estás aprendiendo a negarte a retroceder; estas defendiendo tu espacio; estás desarrollando la cualidad de *'déjame tranquilo'*; estás cultivando el poder de permanecer firme como una roca contra toda oposición; estás aprendiendo a lograr, a conquistar y a ganar"; etc.

Acompaña esto con las imágenes mentales adecuadas y las acciones apropiadas. Practica las cualidades deseadas tan a menudo como sea posible. Desarrolla tu músculo mental. Deja de ser un gusano del polvo, o un tapete humano, y afirma tu individualidad.

Si posees esta cualidad en un grado demasiado elevado, refrénate cultivando la cualidad opuesta de vivir y dejar vivir; de paciencia; amor fraterno; etc. La condición ideal es aquella que se encuentra entre los dos extremos, el término medio.

3. *Adquisividad*[9]. Esta es la facultad que se manifiesta en la obtención y el ahorro de dinero y de cosas. Algunos lo poseen en un grado intolerable, mientras que otros se mantienen pobres durante toda su vida por carecer de ella. Para desarrollar esta facultad, usa la siguiente autosugestión:

"John Smith, estás superando tu insensatez; estás aprendiendo a desear dinero y a querer ahorrarlo; estás aprendiendo a *obtener* dinero y *a mantenerlo*; estás desarrollando la capacidad de obtener todo lo que te llega y de mantenerlo después de que lo obtengas; estás aprendiendo a ser frugal y económico, y al mismo tiempo estás desarrollando la facultad de adquirir y disfrutar las cosas buenas de la vida. Necesitas estas cosas, y las va a tener; está empezando a poner en funcionamiento las fuerzas que te traerán estas cosas que necesitas y deseas, y estás aprendiendo a aferrarte a ellas a medida que las obtienes", etc.

Acompaña esto con la imagen mental de ti mismo como "queriendo lo que necesitas, y queriéndolo *ahora*"; la imagen de que atraes de todos lados las cosas que deseas; visualízate teniendo las cosas, y aferrándote a ellas con fuerza; vete a ti mismo "*teniendo y manteniendo*" y "no dejando que nada se te escape".

Luego manifiesta este pensamiento en acción; comienza a obtener lo bueno de la vida *y aférrate a lo que obtienes*. Recuerda las palabras de la canción:

"Cada poquito, sumado a lo que ya tienes,

es un poquito más".

Exige tu parte de la opulencia del mundo y obtenla, y luego aférrate a ella, no la dejes escapar.

Para restringir esta cualidad, desarrolla su opuesto: comienza a "aflojarte" en pensamiento, sugestión y acción.

---

[9] Inclinación natural de los seres a adquirir los elementos necesarios para su vida.

4. Secretividad. Esta es la facultad de los labios cerrados, y la lengua silenciosa, y la de evitar contarle nuestros asuntos al mundo. Una cierta cantidad de ella es muy deseable, por muchas razones; un exceso tiende hacia la falsedad y al engaño. Para desarrollarla, usa la siguiente autosugestión:

"John Smith, estás aprendiendo a guardar tus propios secretos; estás aprendiendo el arte de mantener tu boca cerrada y tu lengua tranquila; estás aprendiendo que "*en boca cerrada no entra mosca*", y estás actuando en consecuencia; estás desarrollando la facultad de contener tu lengua y de evitar "gritar" tus secretos al mundo; te estás volviendo reticente y autónomo; estás evitando andar con el corazón en la mano o exhibir tus heridas abiertas para que el mundo pueda meter su dedo en ellas; estás aprendiendo a "tener bajo perfil y a estar con la luz apagada"; estás aprendiendo a poner el perro guardián de tu precaución en la puerta de tu mente, para evitar que otros entren; estás desarrollando la cualidad de ser vigilante y cauteloso; te estás volviendo reservado y cauteloso; estás evitando el papel del tonto que dice todo lo que sabe, para el secreto entretenimiento y beneficio de los demás; estás evitando toda agitación emocional; estás aprendiendo a morar dentro de tu propio castillo mental, mirando al mundo sin mirar a través de tus ventanas, sin invitarlos a ocupar las cámaras internas de tu alma. Estás dentro de tu propio castillo, y has cerrado la puerta", etc.

Acompaña esto con el ideal y la imagen mental apropiada, y créalo *en tu acción. Sé* reservado, además de decir que lo eres. Deja que tu pensamiento tome forma en acción.

Lo anterior debe darte una idea del método que se aplicará en el desarrollo de cualquier facultad. Aplica el mismo método para desarrollar las otras facultades mencionadas a continuación, y cualquier otra que te parezca conveniente. No hay secreto en las palabras. Modela tu autosugestión de acuerdo con las características de cada facultad como se indica a continuación, y puedes hacer tus propias autosugestiones.

5. Aprobación. Esta es la facultad que nos hace sentir heridos cuando somos condenados por otros; y exaltados cuando otros nos adulan. La mayoría tenemos demasiado de esta cualidad, y moderarla, más que desarrollarla, es necesario en la mayoría de los casos. La mejor manera de restringir esta facultad es cultivar el espíritu de Individualidad y la verdadera Autoestima. Aprende a sentir: "Lo que digan, ¡que lo digan!" Aprende a pararte sobre tus propios pies y sonríe al mundo. Aprende a decir "Yo soy" y siéntete rodeado de una atmósfera protectora de fortaleza individual, a través de la cual las críticas adversas no pueden alcanzarte. Al mismo tiempo, aprende a ser inmune a la adulación y a los falsos elogios de los demás. Aprende a valorar tu propia satisfacción como algo más allá de la alabanza que recibas del mundo. Aprende a vivir a pesar de la condena o de la crítica adversa; y sin el halago de los interesados, los tontos y los egoístas.

6. *Autoestima*. La verdadera autoestima consiste en el sentimiento de individualidad, a diferencia de la personalidad. La personalidad es la fase del yo que se ve afectada por la crítica o la adulación, su órgano es la Aprobación. El verdadero individuo siente que es *real*, que es un centro de la energía cósmica, que está de pie sobre sus propios pies y que es una parte necesaria del *ser del mundo*. La autoestima no muestra el egotismo, ya que esa falta o defecto pertenece a la personalidad. La autoestima es egoísta pero no egotista: hay un mundo de diferencia entre estos términos. Cultiva la cualidad de "Yo Soy" dentro de ti: desarrolla la individualidad.

"Soy un individuo" es la nota clave de la verdadera autoestima.

7. La *firmeza*. Esta es la facultad de la constancia, la estabilidad, la perseverancia, la decisión, la tenacidad, la voluntad. Puede ser cultivada por los métodos dados anteriormente. Las cualidades de firmeza, su ideal, sus acciones, son demasiado conocidas para requerir un recital.

La Esperanza —la facultad de optimismo, la expectativa de perspectivas buenas y brillantes, etc.; la constructividad o facultad de "hacer cosas"—la facultad inventiva; y muchas otras cualidades positivas, pueden ser cultivadas por los métodos ya dados.

Al sugerirte estas cualidades, usa las mismas palabras y términos que usarías si lo sugirieras a otra persona. Al tener en cuenta esta regla, no deberías tener problemas para seleccionar las sugestiones apropiadas.

Las cualidades y facultades dadas anteriormente son en su mayor parte lo que se conoce como **Cualidades Positivas**, y son aquellas en las que la mayoría de las personas tienen deficiencias. Por esta razón hemos puesto especial énfasis en ellas.

Hay otras cualidades valiosas, necesarias en un carácter integral, pero hemos pensado que es mejor enfatizar estas cualidades positivas porque su falta de desarrollo ha dado lugar a tantos caracteres débiles, y porque el trabajo debe ser dirigido hacia el punto de mayor necesidad.

En conclusión, te pedimos que consideres estas palabras utilizadas al concluir un trabajo anterior, en el que se expone el espíritu de las cualidades positivas:

"He tratado de infundir mis palabras con la fuerte energía vital que siento surgir a través de mí al escribir este mensaje de fortaleza para ti. Confío en que estas palabras actuarán como una corriente de electrones verbales, cada uno con su carga completa de poder dinámico. Y confío en que cada palabra servirá para llenarte del poder mental que las dio a luz, y que, por lo tanto, despertarán en ti un estado mental, un deseo y voluntad similares, para ser fuerte, contundente y dinámico— decidido a afirmar tu individualidad en Ser y hacer lo que el deseo y la voluntad creativos universales espera que seas y hagas. Te envío este mensaje, cargado con las vibraciones dinámicas de mi cerebro, mientras transforma y convierte el poder mental en pensamientos y palabras. Te lo envío a ti —, sí, a *ti*, que ahora lees estas palabras, con toda la energía, la fuerza y el poder que tengo a mi disposición, a fin de que penetre en tu armadura de indiferencia, miedo y duda, y "*No puedo*".

Y que al alcanzar tu corazón de deseo, pueda llenarte con el espíritu mismo de individualidad, egoísmo consciente, percepción de la realidad y realización del "yo", de modo que a partir de ahora cambiarás tu grito de batalla, y te sumergirás a fondo en la lucha, lleno de la furia de Berserker —como el héroe islandés de la antigüedad—, y gritando tu positivo grito de libertad ***"¡Puedo hacerlo y lo haré!,*** te abrirás tu camino a través de las filas de las hordas de ignorancia y negatividad, y alcanzarás las alturas que están más allá. Este es mi mensaje para *ti—¡*el individuo!"

20. SALUD, FELICIDAD Y PROSPERIDAD.

En las palabras usadas como título para este capítulo final, Salud, Felicidad y Prosperidad, se resumen la mayoría de las cosas que hacen que la vida valga la pena, y por la cual la humanidad se esfuerza. Y si la autosugestión tiende a desarrollar estas cualidades o estados, entonces juega un papel muy importante en la vida de la humanidad.

Todos los estudiantes de la asignatura se ven obligados a admitir que la autosugestión tiene mucho que ver con la Salud, la Felicidad y la Prosperidad, ya sea para producirlas o para prevenirlas. Demos una breve consideración final al tema de la autosugestión en su efecto de la Salud, la Felicidad y la Prosperidad de hombres y mujeres.

En primer lugar, hemos visto el valor terapéutico de la Sugestión, en sus diversas fases. Y hemos visto que todos y cada uno de los efectos de la Sugestión Terapéutica realmente tienen a la autosugestión como su principio fundamental, ya que, al final, vemos que el poder curativo de la Sugestión reside en la mente del individuo, y que todas sus actividades surgen de la aplicación del poder mental de la persona por medio de la autosugestión, consciente o inconsciente.

Y cada forma de Sugestión Terapéutica mencionada en este libro, tal como la emplean los diversos profesionales, puede ser aplicada por la persona misma, a sí misma, por medio de la autosugestión.

Hemos explicado cómo uno puede sugerirse a sí mismo, con el mismo efecto que si estuviera sugiriendo a otro. De esta manera, todo el sistema de Sugestión Terapéutica está abierto a todas y cada una de las personas, sin la ayuda de un sanador o practicante, si tiene la perseverancia y la voluntad de aplicarlo.

Además, el lector cuidadoso de este libro habrá visto que la salud de una persona depende materialmente del carácter de sus estados mentales, y que la mente ejerce una influencia tremenda sobre los estados físicos. Habrá visto que la influencia del miedo, la preocupación, la ira y los estados mentales sombríos son realmente deprimentes en sus efectos sobre las funciones de los órganos corporales. Y también, que la esperanza, la fe, el valor y la alegría ejercen un efecto positivo y vigorizante sobre las funciones físicas.

Siendo este el caso, se concluye que, con un hábito adecuado de autosugestión –una vez adquirido y practicado–, la persona debe necesariamente desarrollar resistencia a la enfermedad y desarrollar una condición normal y saludable en su vida física.

Lee detenidamente lo que hemos dicho en la parte de este libro dedicado a la Sugestión Terapéutica, y luego aplica los principios en la línea de autosugestión. La autosugestión adecuada se acerca tanto a ser un remedio universal para las enfermedades, como cualquier otra cosa que el ser humano haya conocido. Claro está, la autosugestión acompañada de los ideales adecuados y las imágenes mentales, y la manifestación en acción, como se describe en este libro.

Si te *sugieres* salud; *piensas en* salud; *visualizas* salud; y *actúas* salud, *manifestarás* salud.

Deja que tu ideal, modelo y patrón sea siempre el Hombre o la Mujer Saludable, y luego modela todas sus sugestiones, pensamientos y acciones en consecuencia.

En cuanto a la felicidad, mucho de ella depende de la posesión de la salud. Y el primer paso en la adquisición de la felicidad es el desarrollo de la salud. Pero, además de esto, la actitud mental de las personas depende en gran medida del principio de la autosugestión y la voluntad. Al negarse constantemente a permitir la entrada de pensamientos negativos y deprimentes y al buscar constante de pensamientos positivos y estimulantes, tienes la clave de la actitud mental adecuada.

"Como piensas, así eres". El ser humano crece para parecerse a aquello sobre lo que fija sus pensamientos.

Una determinación a ver y pensar solamente en las cosas brillantes y positivas de la *vida, y la negativa a admitir o considerar las cosas negativas, deprimentes de la vida, producirá una actitud mental habitual que generará Felicidad.*

Hay cosas brillantes y cosas oscuras en la vida, pero tenemos el derecho de dirigir nuestra atención a cualquier conjunto de hechos y cosas que deseemos.

Podemos preferir ver solo el lado desagradable y muchos, al parecer, así lo prefieren; o podemos preferir ver solo el lado brillante. Todo es una cuestión de determinación y voluntad al utilizar nuestra atención.

La atención encuentra aquello que busca, bueno o malo. Siempre hay dos lados en todo: tienes derecho a elegir qué lado verás. El optimismo y el pesimismo no son más que los dos lados del Escudo de la Vida: elige tu opción.

Mucho depende de la actitud mental, y la actitud mental depende en gran medida de la Autosugestión, en su sentido más completo.

La felicidad no es tanto una cuestión de cosas externas como generalmente se cree.

Has visto a muchas personas rodeadas de toda la riqueza, posición o influencia que podrían obtener, y aún así son infelices. Por el contrario, has visto a muchas personas como la señora Wiggs de la novela "Cabbage Patch", o como "Glad" en la novela "El amanecer de un mañana", que logran extraer la Felicidad del entorno menos prometedor.

La felicidad viene de dentro. Si no eres capaz de extraerla de tu alma, nunca la obtendrás de fuera. Es algo que pertenece a la naturaleza interna de las personas, no existe en ninguna otra parte. Nadie ha obtenido la felicidad perfecta de cosas, personas o condiciones externas, pero muchos la han encontrado en su interior.

Y, entonces, si cultivas tu "interior" has encontrado el secreto de la felicidad. Y el "interior" puede ser desarrollado y cultivado por medio de la autosugestión, como hemos definido la palabra. **Después de todo, vives en tu mente; por lo tanto, debes hacer que tu morada mental sea adecuada para vivir.**

La prosperidad depende de una serie de cosas, una de las cuales es la actitud mental interna y la condición de quienes la buscan. La posesión de ciertas cualidades de la mente generalmente se considera necesaria para el éxito; y la posesión de cualidades opuestas generalmente se considera destructiva para el éxito.

Si las facultades o cualidades mentales fuesen fijas e inalterables, en la mayoría de los casos, uno podría desesperarse y no alcanzar el éxito. Pero la Nueva Psicología nos ha mostrado cómo podemos desarrollar cualidades deseables y restringir las indeseables, mediante la Autosugestión. Así que vemos que incluso en este campo, la Autosugestión juega un papel importante.

Toda mejora o progreso viene a través de alguna forma de educación. La Autosugestión es simplemente una forma de educación y entrenamiento. El hecho de que seas maestro y estudiante, no altera la cuestión. Reconocer la existencia de la mente subconsciente explica la doble acción en la Autosugestión. Uno tiene dentro de su propio poder el hacer de sí mismo lo que quiera, siempre que se dedique a la tarea energía, determinación y persistencia. E incluso estas cualidades pueden desarrollarse y fomentarse, si se tiene deficiencia en alguna.

Hay un "Algo Interior" de cada persona que es el Rey y el Amo de todas las otras partes de tu ser. Llámalo alma, voluntad, ego, o lo que sea, el hecho es que esta parte del ser es Soberana y Dominante. En la medida en que este Soberano manifieste su poder, así será el grado de Individualidad.

La mayoría de las personas no se dan cuenta de que tienen este *Yo Soberano* en su interior y, por lo tanto, se entregan sin resistencia al entorno y a las influencias externas. En la autosugestión, particularmente cuando uno adquiere el "don", se manifiesta el fenómeno de este *Yo Soberano* sentado en su trono mental y afirmando su derecho y su poder para gobernar. Entonces, te haces dueño de ti mismo, en lugar esclavo de las circunstancias y del entorno, o de la influencia de los demás.

En la realización, el reconocimiento y la manifestación de este "Yo Soy" dentro de ti, se encuentra el secreto de la Salud, la Felicidad y la Prosperidad.

Como Chas. F. Lummis ha dicho:

"El ser humano estaba destinado a ser, y debería ser, más fuerte y *más* que cualquier cosa que pueda sucederle. Las circunstancias, el *destino*, la *suerte* están en el exterior, y si bien no siempre puede cambiarlas, *siempre puede vencerlas* … Estoy bien. Soy más grande que cualquier cosa que me pueda pasar. Todas estas cosas están fuera de mi puerta, y yo tengo la llave".

Y así dicen todos los que han encontrado el "Algo Interior" y han obtenido la Maestría de sí Mismos por su propio Ser.

Finis

BIBLIOTECA DEL ÉXITO

LOS MEJORES CLÁSICOS DE ÉXITO Y NEGOCIOS

VOL. 1. ORISON SWETT MARDEN

PROSPERIDAD COMO ATRAERLA
PIENSA QUE PUEDES LOGRARLO ¡Y PODRÀS!
LA ALEGRÍA DE VIVIR

VOL. 2. ORISON SWETT MARDEN

EL MILAGRO DE PENSAR CORRECTAMENTE
UNA VOLUNTAD DE HIERRO
AMBICIÓN Y ÉXITO
PEQUEÑOS DIAMANTES DE ÉXITO

VOL. 3. WALLACE D. WATTLES

LA CIENCIA DE HACERSE RICO
LA CIENCIA DE SER EXTRAORDINARIO
COMO OBTENER LO QUE QUIERES
UN NUEVO CRISTO

VOL. 4. FLORENCE SCOVELL SHINN

EL JUEGO DE LA VIDA Y COMO JUGARLO
TU PALABRA ES TU VARITA MAGICA
LA PUERTA SECRETA AL ÉXITO

VOL. 5. WILLIAM WALKER ATKINSON

EL SECRETO DEL ÉXITO
LA LEY DE LA ATRACCIÓN EN EL MUNDO DEL PENSAMIENTO
SUGESTIÓN Y AUTOSUGESTIÓN

VOL. 6. WILLIAM WALKER ATKINSON COMO THERON Q. DUMONT

ARTE Y CIENCIA DEL MAGNETISMO PERSONAL
CURSO AVANZADO DE MAGNETISMO PERSONAL
EL PLEXO SOLAR

VOL. 7. JAMES ALLEN

COMO UN HOMBRE PIENSA ASÍ ES SU VIDA.
UNA VIDA DE TRIUNFO
LOS OCHO PILARES DE LA PROSPERIDAD

VOL. 8. RALPH WALDO TRINE
EN SINTONIA CON EL INFINITO,
LAS FACULTADES SUPERIORES
EL CREDO DEL CAMINANTE

VOL. 9
DOCE LEYES DE LOS GRANDES EMPRESARIOS, MAURICIO CHAVES
PIENSA ÉXITO, MAURICIO CHAVES
¡EL ARTE DE HACER DINERO!, P.T. BARNUM

VOL. 10. (Sólo disponible en EE.UU)
PIENSE Y HÁGASE RICO, NAPOLEÓN HILL
EL SISTEMA DE LA LLAVE MAESTRA, CHARLES HAANEL
TU PODER INVISIBLE, GENEVIEVE BERNHEND

VOL. 11
ORACULO MANUAL Y ARTE DE LA PRUDENCIA, BALTASAR GRACIÁN
COMO VIVIR EN 24 HORAS AL DÍA, ARNOLD BENNETT
LOS DÓLARES ME QUIEREN, HENRY HARRISON BROWN

VOL. 12
LA VIDA IMPERSONAL, JOSEPH BENNER
LECCIONES EN LA VERDAD, H. EMILIE CADY
METODOS PARA LOGRAR EL ÉXITO, JULIA SETON

VOL. 13
LA MENTE CREATIVA Y EL ÉXITO. ERNEST HOLMES
TU PODER INTERIOR, THOMAS TROWARD
TUS FUERZAS Y COMO USARLAS, CHRISTIAN D. LARSON

VOL. 14
AUTOBIOGRAFIA DE UN YOGUI, PARAMAHANSA YOGANANDA

AUTOBIOGRAFIA, BENJAMIN FRANKLIN
MEDITACIONES, MARCO AURELIO

VOL. 15
LA CONFIANZA EN UNO MISMO, RALPH WALDO EMERSON
EL PROFETA, KHALIL GIBRAN
ACRES DE DIAMANTES, RUSSELL CROMWELL

VOL. 16. EL METODO COUÉ
AUTOSUGESTIÓN CONSCIENTE PARA EL DOMINIO PROPIO, E. COUE
SUGESTIÓN Y AUTOSUGESTIÓN, CHARLES BAUDOIN
LA PRÁCTICA DE LA AUTOSUGESTIÓN POR EL MÉTODO DE E. COUÉ.

VOL. 17. ORISON SWETT MARDEN
EL PODER DEL PENSAMIENTO
LA VIDA OPTIMISTA
SE BUENO CONTIGO MISMO

VOL. 18. ORISON SWETT MARDEN
SIEMPRE ADELANTE
AYUDATE A TI MISMO
IDEALES DE DICHA

Los libros se encuentran disponibles tanto en sus versiones individuales, o como parte de las colecciones. También cada uno se estará publicando en una versión bilingüe, su original en inglés junto a su traducción. Nuestra colección crece continuamente con los mejores clásicos de superación personal, motivación y negocios.

MAURICIO CHAVES.

Este versátil autor, abogado, master en finanzas y empresario de bienes raíces, no sólo se ha destacado como traductor de docenas de libros de motivación (al punto que se le ha denominado *"el traductor del éxito"*), así como en otros campos (incluyendo quince novelas de Julio Verne), sino como uno de los autores favoritos de nuestros lectores, con sus libros sobre empresas y sobre el éxito, y sus fascinantes novelas de la Saga del Apocalipsis (Caballeros de Nostradamus), que se han convertido en verdaderos best-sellers tanto en inglés como en español, y que ya cuenta con cuatro novelas.

12 Leyes de los Grandes Empresarios. Tener su propia empresa es el más grande sueño de muchos; pero existen reglas básicas para que el sueño no se vuelva pesadilla. El autor comparte veinte años de experiencia al frente de sus empresas, y de forma sencilla nos comparte sus leyes –muchas aprendidas de forma dolorosa-, para crear empresas exitosas que resistan el paso de los años.

Piensa Éxito. Éxito no es sólo acumular grandes fortunas; sino tener grandes sueños ¡y cumplirlos! Este libro extraordinario nos enseña a soñar, pero también, a ponernos metas claras y a elaborar planes concretos, creyendo en nosotros mismos y en la gran capacidad que tenemos (pero que muchos se empeñan en negarse a sí mismos). Ya es considerado por muchos su libro favorito sobre el éxito. Descubre tú también por qué tantos lo están recomendando...

Círculo de Poder (Caballeros de Nostradamus I) es la primera novela de esta fascinante saga que involucra a Leonardo Da Vinci, Nostradamus, Paracelso, Noé, Julio Verne (entre muchos otros), profecías, antiguos misterios, pirámides y el Fin del Mundo tal y como lo conocemos. Luego del asesinato del Embajador de Costa Rica en Roma, su primo y mejor amigo, Ricardo, un hombre que ha perdido su deseo de vivir, es enviado para encontrar respuestas. Lo que encuentra, sin embargo, es una conspiración internacional de proporciones inimaginables, encaminada a cambiar las estructuras del poder mundial…

La Pirámide del Apocalipsis (Caballeros de Nostradamus II). Una novela acerca de la búsqueda de respuestas sobre las profecías y el destino. Años después del 2012, en el cual el inconsciente colectivo estuvo dominado por el temor al apocalipsis y a las profecías mayas, las cosas parecieron volver a la "normalidad". Sin embargo, eventos que iniciaron hace años, están a punto de alcanzar su clímax… El autor nos introduce nuevamente en su mundo de profecías ocultas mezcladas con pasajes bíblicos, para crear una historia verosímil, en la cual las fronteras entre la realidad y la fantasía se entremezclan haciendo que el lector se cuestione sus propias creencias…

La Profecía de Da Vinci (Caballeros de Nostradamus III). En esta tercera novela de la saga, reencontramos a muchos personajes familiares, pero también a nuevos miembros de este creciente grupo que, sin saberlo aún, lucha por asegurar el futuro de esta Tierra. Nostradamus, Saint Germain, Da Vinci, vuelven en esta novela impredecible, que mantendrá al lector atado al libro hasta llegar a su inesperado clímax…

La Visión de Verne (Caballeros de Nostradamus IV). Julio Verne se une al grupo que lucha por preservar el mundo como lo conocemos; con sus novelas proféticas sobre el fin de la humanidad. La trama se profundiza; nuevos misterios son revelados; y el tiempo para detener el Armagedón se agota.